DU MÊME AUTEUR

Aux Éditions Gallimard

CATHERINE

CE PAS ET LE SUIVANT

LA BÊTE FARAMINEUSE

LA MAISON ROSE

L'ARBRE SUR LA RIVIÈRE

PIERRE BERGOUNIOUX

L'ARBRE
SUR LA RIVIÈRE

roman

I

Je ne sais plus lequel de nous quatre l'a trouvé, distingué parmi tous les autres arbres alors qu'il n'était pas le plus grand ni peut-être le plus incliné sur la rivière. Mais il était sans doute le seul, jusqu'à la mer lointaine, pour bifurquer d'abord à un mètre du sol, parallèlement à la rive, une deuxième fois un peu plus haut et une troisième à au moins trois mètres et selon un angle si ouvert qu'en se portant au bout de la branche, ou presque le bout, vu qu'un centimètre plus loin elle aurait plié sous notre poids jusqu'à l'eau ou rompu, ce soit un peu le monde à l'envers : le talus pierreux de la berge, le reste de l'arbre avec les trois autres perchés sur les deux premières branches, les lunules de ciel dans le feuillage, les oiseaux et le soleil qui se mettent à dériver, à fuir, tandis que l'eau coureuse, au-dessous, se figeait peu à peu, devenait immobile.

J'ai oublié qui de Pomme, Alain ou Daniel l'a raconté aux autres dans la clameur de la cour d'école et la fraîche lumière du matin du premier beau jour de l'une des premières années que nous ayons vécues, l'a mimé en se servant de ses bras, de toute la partie de son corps comprise entre le bassin et le haut du crâne pour indiquer l'angle approximatif que le tronc — celui de l'arbre — faisait avec la rivière et celui des branches maîtresses avec le tronc et les unes par rapport aux autres. Mais je me souviens de l'après-midi de ce même jour de mars ou du début d'avril, déjà, que nous nous sommes rendus, après la classe, à la rivière. Elle demeurait hivernale, grise encore, pareille à la ruée d'un colosse irascible dans un corridor trop étroit sous le ciel pacifique, splendide, où s'attardait la promesse du matin, des revenantes fêtes. Et penché sur elle se dressait l'arbre. Il n'avait pas une fleur, pas une feuille ni aucun de ceux qui lui ressemblaient, faisant escorte à l'eau, dans la lumière jaune de l'équinoxe. Seuls, les sureaux, à l'arrière du talus, s'enveloppaient d'un brouillard vert. Mais c'est justement ce qui nous avait permis d'évaluer du premier coup d'œil son penchant, la triple emplanture des maîtresses branches et d'envisager les heures prochaines que nous y passerions.

Après, ce n'est pas mai, dans mon souvenir, plutôt juin à cause de la touffeur où s'enfonçaient les dernières maisons de la ville, petites, avec leurs lessives, leurs portails à claire-voie donnant sur le chemin à demi submergé d'herbe et d'ombelles. Il fallait traverser un grand roncier, trouver la secrète coulée de sable menant à la rivière comme une invite à nous seuls adressée. Juin, encore, parce que nous portions des chemisettes. Nous avions les avant-bras couverts de griffures quand nous avons atteint l'eau, l'arbre, et nous avons hésité tant rien ne ressemble moins à un bord de rivière que le même bord de rivière, à un arbre que cet arbre selon que c'est mars ou avril, le début, ou déjà l'exubérante gloire du solstice. Juin, enfin, à cause de l'odeur. Elle commençait au roncier. Si on avait eu de très bons yeux ou que la couleur qu'ont les odeurs avait été légèrement plus soutenue, peut-être qu'on l'aurait vue, comme une construction aérienne, un bloc de buée aux angles nets s'élevant à l'endroit où la ville finissait, tout contre l'ultime maisonnette, mordant même sur les jardins aventurés où des draisines, des carcasses de fourgons sans roues ni moteurs servaient de cabanons : d'un vert qui n'était celui d'aucune plante, traversé de rubans clairs — les parfums de sève et de sucre — et festonné de brun au bord même de la rivière — les senteurs de limon, de poisson et d'eau.

C'est Pomme qui a dit que c'était bien lui, l'arbre, le même, sous sa folle livrée de feuilles neuves. L'instant d'après, nous étions perchés tous les quatre sur la première branche, à l'aplomb de l'endroit où la terre et l'eau se touchaient. On voyait les galets, le sable et les herbes du fond. Tandis qu'avant, quand on n'avait pas d'arbre, on ne voyait que le ciel, le reflet de l'après-midi dans la rivière, les escadres de cumulus en ligne de file puis l'éclosion des globules de feu, à la surface, quand il était plus tard. Plus rarement la coulée de métal refroidi, d'étain, quand, à force de remettre à l'instant suivant de partir, de compter jusqu'à soixante, sans tricher, puis jusqu'à cent vingt puis encore une minute, ce n'était plus vraiment l'après-midi. Et même une fois qu'Alain avait perdu son couteau et qu'on avait cherché longtemps dans l'herbe et les joncs, le muet glissement de ténèbres sous les arbres anuités, la menace de l'eau lourde et glacée. Nous avions laissé passer l'heure, lassé la patience des esprits des lieux frontaliers. Nous nous sommes mis à courir dans le roncier. Le sable se dérobait sous nos pas. Mille griffes menues cherchaient à nous retenir. Deux fois la rivière que nous cherchions à fuir a surgi devant nous comme si, avec la nuit, elle s'était enroulée sur elle-même, ainsi qu'un fleuve des enfers, et que nous ne dussions plus revoir la lumière, les vivants ni la ville mais courir toujours parmi les épines avec des points de côté qui nous perçaient les flancs. Puis une lampe s'est allumée presque au-dessus de nos têtes et nous avons su, à un mètre près, où nous étions : à côté de l'ancien lavoir, à cent pas du pont.

Mais c'était le matin, le premier. Nous respirions les odeurs enchevêtrées de la sève et du limon sur la première branche. Nous explorions passionnément, du regard, cette partie de la terre que l'eau couvre et que le ciel, avec ses reflets, peuple d'oiseaux et de nuées. C'est Daniel qui l'a découvert le premier. Ce n'est d'ailleurs pas le mot. Nous l'avions vu dès que nous avions pris position sur la première branche, avec les galets, les langues de sable, la reptation des herbes aquatiques. C'était une herbe, pas bien longue et grise, jusqu'à ce que Daniel le crie, le(la) montre — un poisson — avec de si grands gestes qu'il n'y a plus rien eu du tout, herbe ou poisson. Mais maintenant, nous savions qu'il s'était agi d'un poisson. Qu'ils étaient, dans l'eau, cette apparence d'ombre, d'herbe, et non pas l'éclat de métal poli qu'ils devenaient quand nous avions réussi à leur faire avaler n'importe quoi avec un hameçon dedans et qu'ils claquaient dans l'air, près de nos mains.

Nous dominions l'eau de deux mètres. L'arbre s'entait au sommet du talus d'un mètre, à peu près, que la berge formait à cet endroit-là. Nous avons bien attendu un an et même deux avant de considérer qu'il n'y avait pas, plus de raison de nous cantonner sur la première branche. Nous savions depuis le commencement qu'il y en avait trois. Nous les avions vues, évaluées du premier coup d'œil. D'abord celui d'entre nous qui avait distingué cet arbre entre tous les arbres et ensuite les trois autres — dont j'étais —, auxquels il l'avait mimé, le matin, puis montré, l'après-midi. Mais le premier matin, et ceux d'après, longtemps, nous sommes restés en rang d'oignons sur la première avec nos brins de bambou, nos petits sacs de tissu à glissière et les boîtes d'Earl Grey, de Phosphatine ou de bouillon Cub pleines de sciure et de larves. Non pas qu'un mètre supplémentaire nous ait fait peur ni deux ni plus quand, par exemple, il fallait aller chercher dans les peupliers ou dans d'autres aulnes riverains (car c'était un aulne, l'arbre, glutineux) le bas de ligne accroché dans les plus hauts rameaux avec, parfois, un petit poisson qui s'agitait au bout parmi les feuilles et les oiseaux. Mais sans doute que rien ne se fait ainsi, ne va immédiatement de soi. C'est bien après que la deuxième branche et surtout la troisième, la plus haute, la plus avancée, devaient appartenir à ces lieux de la terre ou de l'air dont le séjour finit par devenir licite, naturel.

C'est pourquoi pendant tout un printemps et un été et même sûrement deux, nous nous sommes tenus sur la première, à quatre mètres de notre image gauchère qui s'étirait et se contractait au-delà du fond de l'eau, comme un accordéon. C'était déjà différent de tout ce qu'il y avait eu avant, avec ces brins d'herbe qui n'en étaient pas, qu'on voyait et à qui on s'efforçait de faire avaler la lueur atténuée de la larve. Il pouvait arriver qu'on y parvienne, qu'au bout d'un laps de temps qui n'appartenait pas vraiment à ce que partout ailleurs, en classe, en ville, enfin loin de la rivière, on appelait le temps, on découvre que ce que l'on n'avait pas arrêté de souhaiter une seconde depuis trois heures ou trois secondes s'était produit : l'extinction subite de la lueur dans le clair-obscur de l'eau. On tirait. Ce n'était plus du tout ce brin d'herbe qu'on avait fini par imaginer, mais un copeau d'or ou d'argent dans l'eau et, aussitôt, dans les feuilles visqueuses de l'arbre, entre nos mains tendues.

Et puis un soir, sans mot dire, Daniel a étreint le tronc, entrepris de s'élever au-dessus de nos têtes. C'était en juillet. La sève n'avait pas cessé de pleuvoir de tout le jour. Nous avions les cheveux mouillés, poisseux. Nos chemisettes nous collaient aux épaules. Et c'était le soir car tout ce que Daniel pouvait faire, c'était de dire sur sa branche, oh purée, oh punaise, oh la la, de crier comme si toute la largeur de la rivière nous avait séparés et même deux fois sa largeur alors qu'il n'était jamais que deux mètres plus haut et trois mètres plus loin. Quand nous lui demandions quoi en criant aussi fort que lui, il ne faisait que répéter oh la la, oh mince, en disant qu'il ne savait pas bien. Qu'il n'y avait plus assez de lumière pour voir, pour être fixé.

Toute la nuit suivante, il m'a semblé que je l'entendais, que je le voyais crier, parfois comme si ce n'avait pas été la nuit mais encore le soir ou déjà le matin et que mon lit reposât en équilibre instable au bord du talus ; parfois comme si Daniel avait flotté dans l'air noir, à des milliers de mètres d'altitude, d'où sa voix me parvenait toujours, incertaine et extasiée. Puis ç'avait été le lendemain, le vrai, et la rivière sans mon lit, dans la resplendissante clarté de juillet. Les trois autres étaient déjà à califourchon sur la troisième branche, ce que je savais dès avant que de m'engager dans le roncier aux cris suraigus qui me parvenaient, comme d'un essaim arrêté de martinets. J'avais serré le tronc gris fer entre mes bras et mes jambes, dépassé la deuxième branche et atteint la troisième sur laquelle je m'étais avancé jusqu'à ce que je puisse prendre appui sur les épaules d'Alain qui tenait celles de Daniel. A mon tour, je m'étais mis à dire purée, oh la la pendant que Pomme, là-bas, au bout, à demi retourné, essayait de crier plus fort que nous sans y parvenir. Le regard portait à des distances, touchait à des profondeurs que nous avions seulement rêvées derrière le tain de la surface, sous les oiseaux et les nuages. Il y avait toujours des galets, du sable, des algues, comme à un mètre du bord, mais moins colorés, moins bien dessinés, enveloppés d'un reste de nuit qui dormirait au fond des rivières, attendant le moment de regagner la terre puis le ciel. Et dans ce crépuscule tapi au fond de l'eau du matin, les jeux d'ombre ou d'eau qui m'arrachaient à moi aussi des mince et des punaise pendant que Pomme n'arrêtait pas de dire autre chose qu'on ne comprenait pas.

Même après, quand le soleil est sorti des arbres et que la rivière s'est mise à jongler avec des globules de feu, même là c'était pareil : un crépuscule éternel parcouru de lents soulèvements et que la lumière de midi ne dissiperait pas. Il ne devait pas être loin de midi quand on a fini par commencer à l'admettre, à arrêter un peu de crier en pointant le doigt vers les moires ténébreuses de l'ombre du fond de l'eau. C'est alors qu'on a entendu Pomme ou plutôt sa voix lointaine et froide, comme si un adulte avait parlé, comme il arrive qu'ils fassent, les adultes, lorsqu'on a fait (les enfants) tout ce bruit, toute cette poussière et ce désordre pour rien. Qu'on se sent triste et fatigué, soudain, qu'on se rend compte que c'est vraiment pour rien qu'on l'a fait. C'est à cet instant précis que la voix froide répète ce qu'elle a dit au début, ce qu'on aurait dû faire tout de suite au lieu de hurler et de gesticuler en vain. Dans le silence revenu, nous avons reconnu le tintement de l'eau sous nous et l'espèce de fil ténu qu'un martinet traînait très haut, dans le ciel pur. Puis j'ai commencé à reculer comme j'avais avancé, en prenant appui des deux mains sur la branche et en soulevant mon derrière endolori jusqu'à ce que je sente le tronc de l'arbre contre mon dos, que je l'enserre de toutes mes forces et que je me laisse glisser à terre avec les regards des trois autres sur moi, la tache claire de leurs visages dans le feuillage criblé de soleil. Ils ont recommencé à crier quand je n'arrivais pas à ouvrir la boîte jaune et rouge et je n'ai réussi qu'à me déchirer le bout de l'ongle. J'ai eu envie de leur crier encore plus fort que ça ne servait à rien de crier avant d'attraper l'autre, la boîte à pans coupés, lilas, de Darjeeling. Et celle-là, le couvercle ne tenait pas. J'ai tiré comme si c'était encore le bouillon Cub. La sciure et les larves ont sauté en l'air et se sont répandues sur le talus. Les autres, là-haut, vociféraient encore plus fort. J'ai levé la tête pour déclarer, sur le ton rassis, désabusé, des adultes, ce que je pensais des boîtes, à cet instant, et des larves et d'eux sur leur branche. Je suis resté à genoux, le visage égal, les larmes aux yeux sous leur clameur puis j'ai réussi à pincer entre le pouce et l'index une larve qui s'agitait désespérément dans la sciure et la terre. Je l'ai empalée avec soin sur l'hameçon. Je me suis assuré qu'elle continuait à se contracter et à s'étirer sur la hampe de fer, comme nos images sur la branche, dans l'eau, puis j'ai tendu la canne de bambou, le talon en avant, à Alain qui l'a tirée lentement à lui pour la passer à Daniel qui l'a remise à Pomme qui n'avait pas crié. Qui attendait.

J'étais de nouveau à califourchon dans les feuilles. Nous observions un silence si parfait que le cri du martinet nous parvenait sans interruption avec le bruit d'argenterie, de table mise montant de la rivière. Il avait fini par n'être plus du tout midi. Nous aurions dû être rentrés depuis longtemps pour déjeuner. Nous étions penchés les uns sur les autres, jusqu'à Pomme. Il lançait la canne, le fil et là-bas, dans le crépuscule, la larve dont lui seul, au bout de la branche, pouvait discerner la faible lueur. C'était l'après-midi, à coup sûr, l'espèce de lenteur, de majesté qui succède au matin. Nous nous étions mis à attendre, à espérer si fort que le temps n'était plus la dérive impavide des heures et des jours mais le crépitement de particules qu'on voit tomber dans les sabliers. Même quand des milliers ont passé, ça ne fait jamais que trois minutes. Et quand d'autres milliers ont franchi l'étranglement, ça ne fait toujours pas beaucoup de temps, c'est encore un peu le même moment, le présent. Au-dessus de l'ombre où des moires ondoyaient, la rivière avait pris au ciel le bleu splendide qu'il a quand c'est juillet (et peut-être, aussi, qu'on n'a que huit ou neuf ans). Pomme accompagnait du bras et du tronc l'invisible glissement de la larve et nous aussi, nous nous penchions quand il l'arrachait, en bout de course, à l'aval pour la rejeter vers l'amont puis nous nous redressions et nous nous inclinions progressivement vers la gauche. Il me semble qu'avec l'oiseau, les couverts entrechoqués de l'eau, le murmure passionné de Pomme, on entendait encore le crépitement des corpuscules dans le sablier et même le court instant de silence, d'absence de temps, quand trois minutes ont passé et qu'on le retourne pour faire passer les grains en sens inverse.

On était en train de revenir à droite. On précédait de peu, de deux ou trois grains, le mouvement pendulaire du bambou et de la larve qu'on voyait s'allumer en aval dans l'eau claire du dessus, briller, blanche, dans l'air blanc, puis s'enfoncer en amont, s'éteindre dans le soir qui dort, le jour, au fond des rivières. J'attendais qu'il se passe quelque chose qui aurait dû se passer, arriver dès que la lueur s'était enfoncée dans la rivière et que c'était encore le matin. Maintenant, j'attendais dans l'après-midi, la halte éblouie que les jours longs observent après le déjeuner. Mais nous n'avions pas déjeuné et je m'étais mis à penser aussi à maman, à la maison, en train de penser à moi. Elle devait avoir cet air, quand l'un d'entre nous n'était pas rentré alors qu'il aurait dû le faire depuis longtemps. Tout ceci a duré jusqu'à l'instant précis au-delà duquel on n'avait plus rien envisagé, imaginé, où quelque chose d'autre pourrait vraiment commencer (mais il faut avoir attendu, vécu beaucoup plus que les neuf ou dix années que nous pouvions avoir alors pour comprendre que c'est cet instant et aucun de ceux qui l'ont précédé).

Donc, nous étions tous les quatre en train de revenir à droite pendant que Pomme commençait le geste de ramener le bambou, la ligne et la larve de l'aval, à gauche, vers l'amont où déjà nous penchions. Mais nous n'avons pas vu l'éclat blanc dans l'air blanc avant qu'elle ne replonge et ne s'éteigne dans l'eau : rien que le cri, la plainte aiguë, comme une fusée rouge (il m'a semblé) sortie du petit moulinet vert et l'antenne de bambou incurvée, durcie, la pointe près de l'eau, pendant que Pomme se raidissait. Et après, encore, la même scène, la canne ployée, le fil rigide dont nous percevions la vibration ténue, modulée, comme si le reflet de Pomme dans le reflet de l'arbre, six mètres plus bas, s'était mis à tirer sur le fil avec une force rigoureusement égale à celle que Pomme exerçait sur lui et qu'ils soient voués à rester opposés l'un à l'autre de chaque côté de la surface, dans le temps arrêté de l'après-midi.

Lorsque tout a pris fin, qu'on a essayé de comprendre ce qui était arrivé et que chacun avait son idée qu'il s'efforçait de crier plus vite et plus fort que les autres, on est au moins tombé d'accord là-dessus : que ça pouvait avoir duré aussi bien ce qui représentait une heure d'horloge à deux cents pas de là, en ville, que la fraction de seconde, la pincée de grains de sable qu'il faut à un poisson — on était aussi d'accord sur le fait que c'était un poisson — pour se soulever hors de l'éternel crépuscule et s'y replonger avec vingt mètres de fil et l'extrémité rompue de la canne de Pomme. Et Pomme qui était au bout de la branche, aux premières loges, qui avait vu, senti le fil rompre, le bambou éclater, ne disait rien pendant que nous gesticulions sur la branche. Ses yeux ronds, pleins de larmes, allaient de l'un à l'autre tandis que nous nous coupions mutuellement la parole. A partir de là (que c'était un poisson et qu'on ne saurait jamais combien de temps ça avait duré), chacun avait son opinion : Alain une carpe, qu'elle était comme ça et il étendait ses bras aussi loin qu'il pouvait. Daniel plus grande encore, comme l'un d'entre nous, et qu'elle était verte. Je ne me prononçais pas sur la taille — il était très grand — mais je tenais ferme sur la teinte — brune — et que c'était une espèce inconnue, peut-être un poisson monté de la mer.

C'est à ce moment-là que Pomme a retrouvé l'usage de la parole. Les larmes arrêtées sur ses joues brillaient dans le soleil et il disait jaune, un barbeau jaune et pas autrement parce que c'était lui, Pomme, qui l'avait piqué, arraché si peu que ce fût à l'ombre mystérieuse. Qui avait senti la force du poisson égale à la sienne. Pas sa force, d'ailleurs, son poids. Sa force, on ne savait pas, on ne saurait jamais. Il n'en avait pas fait vraiment usage. Il s'était contenté de quitter un court instant la pénombre. Il avait cherché à savoir quels oiseaux il tenait à l'autre bout du fil, sur la branche. Puis il avait vu et il s'était laissé glisser dans les profondeurs de la rivière — nous l'avions tous vu. Et ce faisant, sans autrement s'émouvoir, s'agiter, il avait tout emporté, le fil et le bout de la canne. Pomme a dit que si le bambou n'avait pas cédé le premier, c'est lui, Pomme, qui aurait suivi et peut-être bien la branche avec nous dessus et même l'aulne.

II

L'hiver est venu et, dès avant qu'il ne s'établisse, l'automne, l'espèce de glissement oblique qu'on cherchait en vain à contenir, à entraver. Pas seulement celui qui succéda au soir limpide de mars où nous avions découvert l'arbre penché sur la rivière, mais l'un de ceux qui revinrent encore alors qu'il nous semblait que le temps aurait dû changer, ne plus passer comme avant.

C'était l'hiver et c'était un samedi parce qu'il n'y avait que le samedi où je puisse me rendre à la bibliothèque aussitôt après déjeuner. Jusqu'à quatre heures, je restais près du grand poêle en fonte noire. J'aurais péri à coup sûr au-delà du cercle de trois mètres qu'il rendait à peu près habitable. D'ailleurs, les dictionnaires, les encyclopédies et les atlas délimitaient la zone tempérée dont il occupait le centre et j'avais juste la force qu'il fallait pour les transporter, l'un après l'autre, des rayonnages de chêne noirci où ils dormaient debout jusqu'à la table du même chêne noirci sur laquelle je les couchais en soufflant, les joues gonflées, les sourcils froncés.

Même en hiver, l'après-midi est différent, le temps

oublieux. Lorsque je relevais la tête, de loin en loin, le ciel était blanc aux vitres à plomb des fenêtres, les dos gris des livres couvraient les murs jusqu'aux solives fuligineuses. Tout ce que j'avais cherché dans les grands livres pesants — la genèse de la houille, les débuts de l'imprimerie, l'histoire des capitales — semblait s'être accompli dans la lumière pauvre, l'âcre odeur du papier fâné, de la créosote et du charbon gras. Ceci jusqu'à ce que la pendule, sur l'authentique cheminée Renaissance désaffectée, marque précisément quatre heures. Je refermais les in-folio et les in-quarto. J'entreprenais de les acheminer jusqu'aux étagères basses d'où je les avais extraits deux heures et demie plus tôt.

A partir de ce moment-là, on pouvait se hasarder au-delà du rayon des usuels. Le froid intense qu'il faisait à l'ouverture avait reculé pied à pied. Il s'était réfugié dans les livres couleur de pierre, dans les murs épais de pierre bouchardée couleur de poussière. J'avais aux doigts, quand j'ouvrais les ouvrages de Shackleton ou Rasmussen ou Nordenskjöld la sensation exacte des choses que le cercle polaire renferme. Je l'avais aussi lorsque les livres montraient non plus des igloos, des vapeurs ou des morses mais des masques grimaçants, des tigres, des cataractes et qu'il me fallait commencer par imaginer que les doigts noircis et glacés qui tenaient le livre sous mes yeux n'étaient pas les miens avant de me représenter, de percevoir un peu la chaleur terrible, inséparable des tigres, des arbres à fièvre et des guerriers Dinkas. Après quoi c'étaient vraiment les confins de la terre, les hummocks déchiquetés d'un blanc jauni, piqué de rousseurs, contre les stries verticales d'un ciel de plomb en taille-douce ou l'inverse, les hachures de l'herbe à éléphant sous le ciel incandescent de l'Afrique tropicale. C'était aussi le contraire des matins sur la rivière, dans l'aulne glutineux car le temps des livres ne vaut, ne représente jamais ce qu'il était avant d'entrer dans le livre. Et c'est tant mieux, sinon nous ne lirions jamais qu'un seul livre dans toute notre vie, pour les biographies, ou à la rigueur trois ou quatre de ceux qui relatent les longs voyages d'exploration et de découverte. Dans tous les cas, nous n'aurions pas le temps de vivre. Donc, il pouvait s'écouler des années et parfois des siècles, des ères complètes au cours desquelles les mers allaient et venaient, des montagnes poussaient comme des champignons et puis disparaissaient. Quand je levais les yeux, je retrouvais l'après-midi, la clarté blême des fenêtres à plomb. Il y avait place pour d'autres années, d'autres contrées avant que les globes en verre dépoli pendus à de longues tringles de fer s'allument et que le temps reprenne sa longueur ordinaire.

Alain arrivait le premier, Daniel un quart d'heure plus tard, en nage, le visage rougi par la séance d'entraînement, même quand il n'avait pas cessé de geler de tout le jour. Pomme n'est jamais venu que deux fois à la bibliothèque. Les clients voulaient leur voiture pour le dimanche et il arrivait qu'il soit encore couché sous un châssis à huit heures du soir, du moins après sa quatorzième année, qu'il était entré comme apprenti dans un garage de l'avenue de Bordeaux. Mais même avant cela, quand il était encore en classe de fin d'études, il ne venait pas à la bibliothèque. Il recueillait auprès d'Alain, qui habitait juste à côté, la teneur de nos entretiens.

Je ne sais plus non plus lequel de nous trois a eu la pensée, a murmuré dans le silence âcre qu'il faudrait. Qu'on pourrait s'en aller, un jour, pour voir. C'était un samedi d'hiver, vers six heures, et vraisemblablement aux confins de janvier et de février. Février, souvent, nous accordait un jour ou seulement la moitié d'un jour, l'après-midi tiède, lumineux, comme délégué à notre attention particulière par la belle saison qui s'était remise en marche au loin. Sans doute que cette année-là, qu'Alain, Daniel ou moi l'a murmuré, janvier avait dû être plus terrible que tous ceux que nous avions déjà endurés, franchis et février identique à janvier, sans même le miséricordieux après-midi qu'il comportait souvent. Nous devions désespérer pour de bon, penser que c'était la dernière fois ou plutôt la première, le début d'un autre âge où le froid et l'obscurité régneraient sans partage, indéfiniment.

Le temps du livre s'était arrêté au commencement de la matinée du 21 avril, lorsque le voyageur arrivé la veille, à la tombée de la nuit, se lève pour saluer son hôte et marcher dans les rues de la ville. Il me semblait qu'il aurait dû en concevoir une joie presque insupportable après tant de fatigue, même s'il n'y rencontrait que des chameaux venus de Cohra et des Maures endormis sous les porches. Mais tout, écrivait-il, respirait la plus grande tristesse. Daniel s'était assis sur le dur banc de chêne, de l'autre côté de la table. Il répandait un imperceptible parfum de gel et de laine. Il avait dit mince, que ça pinçait, déchiffré les caractères effacés du titre au dos du livre -C-aillié. *Voyage à Tombouctou.* Il m'avait demandé si c'était bien avant de répéter ce qu'il déclarait chaque fois que c'était le samedi, le soir : qu'il n'aimait pas lire.

Peut-être que la première fois, Alain (ou Daniel ou moi) n'a pas envisagé les voies et les moyens, juste suggéré que ça commençait à bien faire et que c'est le samedi suivant qu'il a murmuré, dans l'insuffisante lumière des globes, qu'il n'y avait qu'à entrer dans l'eau et à se laisser aller, tous les quatre. Aucun des deux autres n'a été vraiment surpris, ne s'est mis à rire, à se récrier, à dire purée, punaise ou les yeux comme on faisait quand il arrivait à l'un d'entre nous d'avancer quelque chose que les autres n'avaient pas déjà prévu, envisagé. Il a ajouté qu'il faudrait qu'il fasse vraiment chaud, que ce soit au moins le mois de juin, la deuxième quinzaine. C'est Daniel qui a suggéré qu'on utilise du bois mort. Ce n'est pas ce qui manquait. Les crues de l'automne amenaient jusqu'à nous des arbres enlevés au plateau lointain, certains pourvus de toutes leurs branches et de toutes leurs racines. Du pont, on les voyait venir avec l'eau écumeuse, couleur de thé ou de chocolat. Ils plongeaient lentement dans les remous, émergeaient, ruisselants, rouges encore de leurs feuilles ou déjà noirs, semblables (j'imaginais) aux sauriens géants des mers jurassiques, leurs maîtresses branches comme des crocs, des cornes, des crêtes avec lesquels il se jetaient contre les piles du pont. Nous courions nous pencher sur le parapet opposé. Ils sortaient de l'étranglement rompus, balafrés des longues cicatrices claires de l'écorce arrachée et nous suivions du regard, aussi loin que nous le pouvions, leur descente à la mer.

Tous n'y parvenaient pas, du moins la première fois. Au premier beau jour du printemps suivant, si c'était un jeudi ou un dimanche, nous les découvrions sur le sable des berges, noirs dans leur écorce squameuse, et plus tard nus et blancs, desséchés, pareils à des ossements, témoins des holocaustes et des fureurs de l'automne. Puis l'été finissait. Nous entrions effarés aux jours lumineux, déchirants d'octobre commençant. La rivière changeait. Lorsque nous retrouvions sa rive refleurie, elle avait remplacé les troncs décharnés par de nouveaux troncs noirs qui blanchiraient avec l'été. Tout ça, les visages changeants de l'eau, son tribut saisonnier de saules, de hêtres, de pins venus des hauteurs, nous n'avions jamais éprouvé le besoin d'en parler, non plus que des extravagances auxquelles ils pouvaient se prêter. Sans doute que le moment n'était pas encore venu, l'âge où l'on s'imagine que ce serait mieux si l'on était ailleurs, si l'on allait plus loin. Et c'est à Daniel (ou à Alain ou à moi) qu'il appartenait, ce moment, de l'envisager, d'en tracer le contour dans le silence de la bibliothèque municipale, un soir de janvier ou, déjà, de février.

Il a dit que ça pouvait se faire. Qu'il fallait attendre qu'il fasse vraiment chaud, beau, plusieurs jours de suite. Quelque part entre la Saint-Jean et la fin d'août, pas plus tard, sans quoi on ne pourrait pas rester longtemps dans l'eau. Si même on y parvenait, ça ne serait pas bien parce qu'on ne penserait qu'à en sortir. Le reste, les villes, les navires qu'on finirait par croiser, la mer, au bout, on ne s'en rendrait pas suffisamment compte, occupé qu'on serait par le froid et à ne pas lui céder. Alors que si on attendait que l'eau soit à peu près comme la terre, comme l'air, que la différence entre les deux soit la plus petite possible, on pouvait vraiment.

Alain (ou Daniel) faisait la grimace. Daniel a dit (ou moi) : bien sûr. Que maintenant, ça paraissait difficile. De la main, il a désigné vaguement la nuit noire, le froid morne, opiniâtre qu'on sentait peser contre les murs et aussi l'idée, la crainte qui nous avait pris à la fin qu'il n'y ait plus jamais rien d'autre. Mais plus tard, quand le dedans et le dehors seraient pareils, l'eau comme l'air, on s'y tiendrait tout un jour et le lendemain et aussi longtemps qu'il faudrait pour qu'un soir ou un matin nous touchions l'océan. Nous n'aurions pas à chercher notre chemin par les contrées incertaines qui nous en séparaient, à combattre la fatigue des routes puisque la rivière nous porterait, nous et l'arbre mort que nous aurions mis à flot.

Maintenant, je voyais — et les autres devaient le voir aussi, dans la clarté blafarde des globes — le tronc aux trois quarts immergé dans l'eau du matin couleur d'aigue-marine, les moignons blanchis, simplifiés des maîtresses branches dans la lumière fraîche. Nos têtes flottaient en quinconce de part et d'autre du tronc que nos bras enserraient. Il me semble même que je discernais d'invraisemblables détails, l'odeur de mucus et d'eau, les souffles chauds venus des champs riverains, aux approches de midi. Mais à ce moment-là, nous aurions passé depuis longtemps le pont, les quais. Les toits des maisons auraient disparu. Nous voguerions dans la campagne, au milieu d'une flaque pailletée de soleil.

Alain a murmuré qu'il y aurait toujours moyen de sortir, de passer dans l'air, dans le soleil si le froid nous gagnait. Et, après un instant de silence, qu'il n'y avait qu'à manger tant et plus, tout ce que nos estomacs pouvaient contenir et ce qu'il y a encore de place jusqu'au fond de la gorge. Qu'on n'en éprouve plus du tout le besoin pendant les trois ou quatre jours qu'il faudrait. Il y a eu un moment de silence prolongé où l'on percevait le minuscule crépitement de la nuit de gel, dehors, et Daniel a dit qu'on pouvait parfaitement. Puis qu'on se rendrait compte qu'on approchait. La rivière deviendrait plus large, d'une eau troublée entre ses berges basses. Ce ne serait plus vraiment la rivière mais un fleuve à la surface duquel notre équipage, le tronc et nos têtes, ne représenteraient plus qu'un accident négligeable. Nous croiserions la muraille en fer des cargos venus du large à travers les tempêtes et montant vers Bordeaux endormie. Nous perdrions de vue les rives. L'eau prendrait un goût de sel longtemps avant de s'émouvoir. Ce serait l'aurore ou la fin du crépuscule lorsque dans l'infinité verte ou grise nous commencerions, l'arbre et nous, nos têtes, à descendre et monter avec lenteur. Ce serait la houle et nous aurions atteint la mer.

Daniel (ou Alain) s'est tu. Je voyais toujours deux ou trois moignons clairs et nos têtes infimes dans l'immensité. Il y avait si loin d'elles à ce qui est réellement quand on y songe, qu'on s'efforce de l'imaginer — les grandes plaines, le ciel et l'océan — que je n'éprouvais ni effroi ni révolte. Il faut un motif, si petit soit-il, pour avoir sujet à craindre, à réclamer. Or, dès l'estuaire et maintenant, sur la longue houle de l'Atlantique, nos têtes avaient doucement cessé de constituer une raison suffisante. Qu'elles continuent à descendre et monter sur la vague ou qu'il n'y ait plus rien du tout à l'endroit qu'elles occupaient l'instant d'avant se trouvait revêtu de la même rigoureuse importance. Et cela s'imposait si fort, si paisiblement à l'évidence qu'il n'est venu à l'esprit d'aucun d'entre nous d'objecter, d'ajouter quoi que ce fût.

Quand le bibliothécaire rabattait le couvercle des longues boîtes vernies où il classait les fiches, il était sept heures. C'était chaque fois comme si je retrouvais le lit principal du temps, la nuit froide de février de ce qui était (fut) notre quatorzième année après que des siècles et des ères avaient investi, occupé la lumière sans âge de l'après-midi.

Mars a pourtant fini par venir. Ensuite, la saison glissait d'elle-même jusqu'aux heures pacifiques où le temps, le vrai, pas celui des livres, s'immobilisait, cessait un peu d'être le temps, l'inégale fuite, tantôt rapide, effarante, et tantôt rétive. Nous avions retrouvé l'eau, les jeux éternellement changeants dont elle possède, avec le ciel, l'insigne privilège.

C'est pourquoi nous ne nous y sommes jamais habitués. Chaque rencontre avec elle effaçait toutes les autres, nous rendait à nous-mêmes, à l'heure toujours neuve qu'il est.

Septembre a troublé cette belle ordonnance. On l'a senti bouger, se délabrer avant de reconnaître la désastreuse, l'inlassable action du temps. Tout se compliquait encore jusqu'à ce que l'un d'entre nous déclare, de l'air que nous avions quand nous finissions par comprendre que c'était comme ça, que c'était la réalité : c'est compliqué. C'est à partir de ce moment-là que Pomme a commencé à passer huit heures par jour et souvent plus sous des voitures. Daniel s'était rendu tellement insupportable au lycée, où nous étions entrés ensemble un an après Alain, qu'il avait dû le quitter pour Fénelon à l'autre bout de la ville. Alain entrait en première. C'était l'année du probatoire. Il avait l'air un peu gêné quand j'allais le retrouver à la récréation de dix heures pour lui communiquer certains enseignements que je pensais avoir tirés de ce que nous avions fait le dimanche précédent, dans l'arbre, et fixer quelques points relatifs à ce que nous entreprendrions le dimanche suivant. Il portait un blazer, une cravate et il fumait des cigarettes américaines avec d'autres types de première qui avaient le même blazer mais pas la même cravate et lançaient des jets de fumée dans la lumière oblique. Ce qui ne l'empêchait pas, Alain, d'être avec nous, deux jours plus tard, sur la branche, dans l'air suave de l'été finissant. Les arbres n'avaient pas changé. Ils avaient seulement pris la nuance mate, concentrée, qui précède les feux de l'automne. L'eau restait basse et claire. Je me suis même demandé pourquoi le temps était de la partie quand tout semblait pareil aux heures immobiles du solstice. J'écoutais, dans le silence. Puis j'ai pensé que c'était le silence. Le matin appareillait sans son cortège d'oiseaux.

Pomme occupait la première branche. J'étais sur la deuxième avec Alain. Daniel avait gagné la troisième. On venait à peine de lui tendre sa ligne, le talon en avant, quand il a dit que ça y était, qu'il l'avait. J'ai vu, dans l'eau fléchée de soleil, la fuite entravée, désordonnée d'une ombre, les éclairs argentés qu'elle lançait en tournant sur le flanc. Pomme, sur la première branche, a fait descendre l'épuisette. On commençait à savoir faire, depuis le temps. L'autre, l'ombre, le poisson qui présentait son flanc et même un peu du blanc pur de son ventre s'y est engagé comme de lui-même. Lorsqu'il s'est remis à claquer, à fuir, c'était dans les mailles du filet, dans l'air, parmi les feuilles de l'aulne. Pomme a dit de quoi il retournait — une vandoise — et qu'elle pouvait faire vingt-cinq. Mais c'était déjà mon tour. La longue antenne de bambou était parcourue de secousses galvaniques. Une autre ombre s'agitait, au large, en jetant des lueurs et une troisième s'est mise à virevolter, à briller, tandis que Pomme, dessous, me disait d'attendre un peu avant de commencer à ramener la mienne, sans quoi nous allions nous emmêler. C'est comme ça que je l'ai perdue. La canne a subitement cessé de vibrer entre mes mains quand le poisson d'Alain montait entre les rameaux. Ça n'avait d'ailleurs aucune importance, ce matin-là. J'ai renvoyé le fil avec la larve et le bambou s'est remis aussitôt à frémir. Pomme a épuisé mon poisson dès que j'eus réussi à lui faire avaler de l'air et qu'il est venu nager sur le côté, à ras de la surface.

On ne criait plus. On savait qu'il serait midi quand à peine un court instant ou ce qui, du moins, nous aurait paru tel, se serait écoulé depuis que Daniel avait fait étinceler dans l'eau puis dans l'air la première vandoise. On aurait tout le temps, après, de parler, de se raconter ce matin-là, ce qui ferait qu'il avait vraiment eu lieu, été. On a tourné sans phrase, Daniel descendant occuper le poste que tenait Pomme, sur la première branche, Pomme montant prendre ma place pendant que j'étreignais le tronc pour me hisser jusqu'à la troisième branche. J'ai compris pourquoi nous n'arrêtions pas de prendre des poissons. Aussi loin que le regard portait, et il portait loin, de la troisième branche, des bancs d'ombres fugitives glissaient contre l'ombre du fond, sans interruption ni lacune. Mais c'est comme ça que les matins nous sont ravis, quand nous restons là à rêver les yeux ouverts, à ne rien faire. J'ai lancé en plein milieu, vu la larve traverser l'air, toucher l'eau et s'éteindre parce que déjà un des fuseaux était monté à sa rencontre et commençait à partir en ligne brisée.

On n'a pas arrêté. Nos mains tremblaient. On échappait les larves fraîches qui se contorsionnaient pour se soustraire à l'empalement. Elles croisaient dans leur chute les poissons montant dans l'air chaud, se tordant à travers les feuilles. On ne prenait même plus la peine de les épuiser. D'abord, celui qui en était chargé, le premier, sur la première branche, n'aurait plus rien fait que ça et s'ils se décrochaient, retombaient, il suffisait de relancer pour que le bambou se mette aussitôt à vibrer. On a si bien fait que, lorsque les cloches ont sonné la fin de la matinée — et qu'à peine il nous semblait avoir commencé —, un véritable monticule de poissons noircis, racornis, s'était formé au pied de l'arbre. On n'a pas réussi à les faire entrer dans nos sacs de toile. On a mis les petits dans nos poches, vite, parce qu'il était un peu plus de midi, que c'était dimanche, qu'il y avait toujours un match, des invités, des choses à faire. Les nageoires caudales, échancrées, dépassaient. L'arbre, dans la chaleur et la lumière, s'était remis à sécréter la sève poisseuse qui nous mouillait les cheveux et les épaules. Nous étions gluants de mucus jusqu'aux coudes. Je tenais serrées dans mon poing cinq ou six queues de grandes vandoises qu'agitaient les derniers soubresauts de l'asphyxie.

A la récréation, le lendemain, c'est Alain qui est venu à moi. J'avais une interrogation de physique, la première, sur les divers états de la matière. Je m'étais assis contre un des piliers de la galerie, avec mon livre. Je murmurais, pour moi seul, que l'état cristallin est le domaine de l'ordre, l'état vitreux celui du désordre au repos alors que le désordre et le mouvement définissent les états liquide et gazeux. J'ai levé la tête dans la grande rumeur pour répéter. Alain était là, avec sa cravate et deux autres gars de première qui venaient chercher confirmation. J'ai dit oui. Peut-être bien cent cinquante et peut-être même plus, pendant que de la voix du dedans, je répétais que l'état liquide est le domaine du désordre et que les deux types en blazer me regardaient d'un air différent, respectueux.

Le dimanche suivant nous a trouvés perchés dans l'aulne alors qu'il n'y avait de lumière qu'au ciel. J'avais quitté la maison avec mon attirail et un grand sac à pommes de terre, pour les poissons, dans la nuit finissante. Le silence des rues était si profond que mes pas y trouvaient un écho. Le ciel s'est dissocié de la terre quand j'atteignais le roncier poudreux, les arbres noirs, encore, avant que le jour ne les vête d'or et de pourpre. Les autres étaient là, tous les trois, comme de gros oiseaux dans l'aulne endormi. Ils s'étaient frayés je ne sais comment un chemin dans l'inquiétante obscurité qui s'amasse, la nuit, au bord des rivières. Je les ai rejoints, à tâtons, dans la feuillée qui s'allumait. La rivière est restée longtemps pareille à du plomb. Quand on a pu y voir, elle semblait en avoir gardé la densité, poussant une eau plus lourde aux reflets opalescents. Nous avons attendu encore, sans bouger, sans parler, que ce soit le matin bleu. Mais le ciel restait blanc. Le temps lui-même s'était appesanti. Pomme a demandé à Alain, sur la dernière branche, s'il voyait quelque chose. Alain a dit non. Pomme a dit qu'il montait. J'étais assis sur la deuxième branche avec lui. J'ai reculé pour lui livrer passage. Ses pieds ont frôlé ma tête puis se sont immobilisés derrière ceux d'Alain. Je me suis remis à attendre. Daniel, sur la première branche, attendait aussi qu'Alain dise quelque chose : non plus les yeux ou mince ou punaise, vu qu'il était en première et qu'il s'interdisait un certain nombre de formules, mais du moins quelque chose qu'un adulte ou un livre aurait pu dire (comme : ça y est ou attention ou je distingue un certain nombre de poissons), ce qui revenait rigoureusement au même.

Nous avons attendu longtemps, assez pour sentir, savoir obscurément que ça faisait longtemps, que ce n'était plus le commencement. Et que ce serait pareil à la fin, quand midi sonnerait au clocher : le même sirop lourd aux reflets d'opale, aussi aride, si l'on peut ainsi parler, que l'eau du dimanche précédent était vive, fertile, prodigue de ses hôtes. D'ailleurs, ce qu'on apercevait de la deuxième et de la première branche suffisait. Il n'y avait rien qu'une trouble apparence de sable et de galets sous le liquide visqueux.

L'un d'entre nous a parlé de l'automne, de partir avec du bois flotté. Nos voix montaient et descendaient sans hâte dans l'air atone où les arbres se dressaient comme des lampes. Nous nous taisions, parfois, et le grand silence se reformait.

Alain, là-haut, a dit qu'on était idiot, avec notre arbre. Que même s'il faisait très chaud, nous ne pourrions pas. Que si réduite que soit la différence de température entre l'air et l'eau, nous finirions par avoir froid, par nous engourdir. Qu'au lieu que ce soit nos têtes qui montent et descendent avec la houle, il voyait, lui, plutôt, nos ventres blêmes, ballonnés par la noyade, danser sur l'océan.

Il a été onze heures comme il en avait été dix, comme il aurait été n'importe quelle heure de l'après-midi un jour quelconque de la semaine et que nous ayons été en ville, en classe, dans n'importe quel endroit où le temps passe normalement et même, parfois, avec une lenteur, une réticence si grandes que c'est à peu près comme s'il ne passait pas. L'eau était lourde et vide, les arbres pareils à de grandes flammes qui auraient arrêté un instant de mugir et de se tordre, de brûler. Daniel a dit qu'on n'avait qu'à en assembler plusieurs, des arbres, avec des cordes, et s'asseoir dessus. Le silence est retombé, ainsi que du sirop, lui aussi. J'ai pensé : d'amande, avec ce goût amer que les rousseurs, les feuilles incandescentes lui communiquaient. La voix de Pomme a résonné, étonnamment distincte : qu'à la place d'un arbre ou de plusieurs liés ensemble, qui pèseraient trop lourd pour qu'on réussisse à les tirer jusqu'à l'eau, on utiliserait des bidons qu'on calerait entre des bouts de bois. Qu'il pouvait en avoir tant qu'on voudrait. On a échangé des remarques perplexes, de branche à branche, jusqu'à ce que Daniel ajoute que les bouts de bois, c'était son rayon. Nous avons abandonné l'arbre avant que les cloches tintent, au loin, tristes parce que c'était fini et que nous le savions. Que nous touchions aux défilés mélancoliques où l'an s'étiole et meurt.

On s'est revu le samedi à la bibliothèque, Daniel, Alain et moi. La même taie masquait le ciel qu'on aurait dit tout proche, à le toucher, derrière les fenêtres à plomb. J'avais lu la moitié de la seconde mission Hourst — *Dans les rapides du fleuve bleu* — quand Daniel est entré. Il marquait toujours une pause à la porte, comme intimidé par le silence studieux, l'absence du mouvement, de la couleur, les livres gris, l'air gris, l'odeur âcre. Il s'est approché à pas comptés, en hochant la tête, murmurant qu'il avait les planches : je les ai, je les ai. Il a pris place sur le banc opposé pour les détailler un peu : trois mètres de long et dix centimètres de large, une bonne douzaine. Alain est arrivé peu après. Depuis la rentrée, il s'était mis, lui, à faire sonner ses talons sur le parquet. Il a écouté la description des planches. Daniel a dit encore qu'il fallait voir le tas de bidons que Pomme avait déjà récupérés.

Le lendemain, le dimanche donc, c'était exactement comme le dimanche précédent et chaque jour de la semaine écoulée, le ciel incolore, le sirop lourd et les arbres, entre les deux, comme de vastes lampes allumées en plein jour. Pomme avait pu se procurer déjà les cent quarante-quatre bidons d'huile de deux litres (vides) qu'il fallait pour remplir sur deux épaisseurs le châssis en bois qu'on allait confectionner. Il attendait près du lot — une bonne cinquantaine — qu'il avait déposé sur une lentille de sable entre la rive et le roncier. Daniel est arrivé avec la cargaison de planches qu'il avait trouvées, a-t-il dit, sur un terrain vague. Il s'était passé une scie canadienne autour du cou. Il a dit mince, soufflé un moment. Alain n'est pas venu. On a coupé les planches à un mètre cinquante pour les traverses et gardé les autres pour les longerons. J'avais apporté un marteau, une pince et des clous. On en a tellement mis qu'on aurait fait éclater le bois, en les arrachant, lorsqu'on s'est rendu compte que le châssis était nettement plus trapézoïdal que rectangulaire. Pomme regardait le travail d'un air dégoûté. Daniel a dit que rectangle ou pas, il ne voyait pas ce que ça changeait. Pomme a dit qu'il faudrait caler et que même avec des cales, ça tiendrait moins bien. On a mis quelques bidons, pour voir, avant de se séparer.

Le dimanche suivant nous a rassemblés sous le ciel changé, les tentures mauves que le grand vent d'ouest agitait lentement. Pomme avait apporté le deuxième lot de bidons. Le lundi, les tentures étaient devenues d'inépuisables outres et il a plu tout le jour. On étudiait (j'étais en seconde) la poussée d'Archimède dans le petit amphithéâtre. Je convertissais rapidement les formules que M. Jasmin, en bas, traçait au tableau. Il s'en fallait de fort peu que le poids apparent P—F soit négatif ou encore que tout le bazar et nous dessus ne soyons pas soumis à une force ascensionnelle positive dirigée vers le haut égale à F—P. Mais nous l'étions d'une toute petite décimale. J'avais compté vingt kilos pour les bidons et autant pour les planches, les clous et le fil de fer. Pour nous quatre, deux cent cinquante kilos. Le volume global était facile à obtenir : deux cent quatre-vingt-huit litres (et des poussières, pour les planches). On aurait la pointe des fesses mouillée au moindre clapotis. Mais c'était peu de chose comparé à l'immersion complète qu'on aurait subie, avec seulement l'arbre pour se soutenir : ce que j'ai déclaré dans le brouillard, le dimanche d'après — le dernier d'octobre — que la pluie avait cessé de tomber et que le monde, en son repli automnal, n'excédait pas trente pas de diamètre. Des feuilles d'aulnes venaient se poser sur notre ouvrage. Nous respirions une odeur composite, amère et fade, d'arbres lassés, de brume, d'herbe morte et d'huile minérale. Il n'était pas déraisonnable à l'excès de supposer que rien n'existait plus que nous, la grossière caisse à jour remplie de bidons, la lentille de sable sur laquelle nous l'avions construite et la lueur sourde, précieuse, d'un tremble voisin. Pomme a resserré deux ou trois ligatures en fil de fer, coupé net quelques pointes de clous qui sortaient ici et là et nous nous sommes regardés dans l'air nacreux, infusé d'or.

Alain qui avait sauté deux dimanches a proposé qu'on recommence avec des planches plus longues et un cent de bidons supplémentaires pour avoir le derrière au sec. Parce que, a-t-il dit, il suffisait d'une barre de chocolat ou d'une pomme en plus de nous pour que ma force ascensionnelle, toute dirigée qu'elle était vers le haut, devienne négative. A quoi j'ai rétorqué que sa pomme et son chocolat pourraient toujours attendre qu'on ait fini. Que si on devait encore se soucier de ses aises, de manger, ce n'était pas la peine. Il n'y avait qu'à rester où on était, ici. D'ailleurs Daniel disait qu'il n'y avait plus de planches sur le chantier et qu'il n'allait pas démolir les coffrages parce que Alain avait peur de se mouiller le derrière. Et Alain a dit d'accord, d'accord. Pomme a déclaré qu'avec ça, nous pouvions partir n'importe quand, même en hiver. L'eau nous porterait, nous entraînerait comme elle l'aurait fait d'un arbre mort, de nos corps transis. Mais nous serions juste au-dessus. Nous n'aurions plus à craindre que le froid de la rivière nous oblige à la quitter, à renoncer. Nous pourrions, à la fin, rester indéfiniment dans les lenteurs de la houle, au-delà desquelles nous n'imaginions plus rien.

C'est moi qui ai proposé qu'on traîne l'engin jusqu'à l'eau invisible dans le néant gris perle et qu'on l'essaie. Mais il était midi. Daniel jouait à deux heures, Alain avait des invités (ses parents). C'était toujours comme ça, au bord de la rivière. A peine avait-on deviné de grandes ombres dans l'ombre du fond ou coincé quelques bidons de deux litres entre deux planches que c'était la fin de la matinée, comme si quelque chose ou quelqu'un nous l'avait reprise aussitôt. Daniel a fait passer un bout de chaîne entre les planches et autour du pied d'un saule. J'en ai bouclé les extrémités avec le cadenas. Il a gardé une clé, moi l'autre.

Le brouillard ne s'est pas vraiment levé. Le vendredi — le jour de la Toussaint —, nous sommes allés fleurir les tombes de maman, en ville, et le lendemain, nous avons rendu visite à celle que papa avait dans un village des collines. On ne voyait pas à vingt mètres — les croix estompées, l'obscure flamme des cyprès, les hêtres incendiés. Mais dans ce réduit aux entours cotonneux qui était toute la création et qui se déplaçait avec nous, l'air avait gardé la douceur requise pour que le lendemain, nous puissions nous confier à l'eau, même si personne ne l'avait vraiment dit, explicitement envisagé lorsque nous avions mis la dernière main à notre assemblage de planches et de bidons, le dimanche d'avant. La nuit est venue tôt, avec la brume. J'ai dormi sans rien soupçonner des grandes machinations de novembre. La première chose que j'aie enregistrée, au réveil, c'est le joint clair du volet et la seconde, la plainte de la bise aux arêtes du toit. Le vent avait chassé les vapeurs, remis le ciel à sa place, très loin et comme pâli. Il faisait froid mais je ne m'en suis pas aperçu tout de suite. J'ai continué, les mains dans les poches, le menton rentré dans ma veste de demi-saison. En ville, on se rend mal compte. Les maisons ne changent pas de couleur, les lampadaires non plus. Il n'y avait que cette lumière frisante et froide et l'espèce de coin que le vent du nord me poussait entre les épaules.

C'est au-delà du roncier que j'ai compris que ce n'était pas seulement une saute du vent, une nuance passagère de la lumière mais l'hiver qui venait d'entrer. J'ai vu les arbres de la rive, ceux de la berge opposée et ceux, encore, des collines au-delà, tous pareillement dépouillés de l'ardente flamme, couleur de fer, de cendre et de terre. Et c'est la terre, la poussière qui étaient pour un instant jonchées d'or et de braise. Même le radeau disparaissait sous les feuilles tombées dans la nuit. La rivière roulait des eaux noires avec de sourdes huées. Pomme était assis sur les planches. Il avait passé, lui, un gros blouson. On s'est regardé sans rien dire puisque le dimanche précédent, personne n'avait rien dit. Quand Alain et Daniel sont arrivés, ils ont marqué, eux aussi, un temps d'arrêt en sortant du roncier. Ils se sont approchés en traînant les pieds dans la couche lumineuse de feuilles. Daniel a ouvert la bouche, comme pour déclarer quelque chose d'important mais il a paru se raviser. Nous sommes allés jusqu'à la rive, dans la clameur de l'eau. Le temps avait fait halte maintenant que nous n'en avions plus l'usage. Je frissonnais. J'ai trouvé à l'aulne, au geste des maîtresses branches un air de supplication. Nous sommes restés muets, tristes, jusqu'à ce que le froid nous chasse, chacun de son côté.

III

C'est aussi cette année-là que l'hiver est devenu différent, comme s'il fallait l'avoir subi, franchi quinze ou seize fois pour qu'il commence à ressembler au reste, à avoir non seulement un début mais une fin et que cette fin, toute lente à venir qu'elle est, soit inéluctable, après quoi une autre saison viendra avec les poissons, les oiseaux, les frasques du matin puis l'été et l'automne, déjà, aux rapides versants.

Il y a peut-être aussi qu'on avait moins le temps de se demander si le temps passait, passerait. Il arrivait, le samedi, que je ne puisse même pas me rendre à la bibliothèque pour être un peu ailleurs, autrefois ou autrement. Il est vrai que je l'étais plus longtemps (jusqu'à sept heures) lorsqu'un travail quelconque, un devoir, des révisions importantes ne venaient pas m'en empêcher. Daniel et Alain semblaient pareillement requis, c'est-à-dire beaucoup plus qu'avant, par ce qui fut notre quinzième ou seizième année et ils ne disposaient pas toujours de la fin de l'après-midi du samedi pour me rejoindre dans le silence où je lisais. Je pouvais donc m'enfoncer bien plus avant dans les lieux éloignés, le temps resserré où se sont accomplis, pour nous, la surrection muette des montagnes, la croissance des forêts ou les agissements de ceux qui ont vécu, voyagé, changé le monde et qui l'ont dit, écrit. Lorsque le bibliothécaire refermait ses grandes boîtes, j'étais un instant entre deux univers, deux âges : celui qui a vu les continents se scinder, les premières frégates dans les mers du Sud et ce qui m'incombait : l'hiver sur la ville anuitée.

Quand j'ai vu Pomme, j'ai compris qu'il se passait quelque chose parce que c'était Pomme. D'abord il ne venait jamais à la bibliothèque et s'il avait pu le faire, ç'aurait été un peu avant sept heures du soir, quand il avait fini de changer des plaquettes de freins, des vis platinées ou des joints de culasses, de cet air paisible qui était le sien depuis seize ans et qu'il avait gardé pour soulever le capot des voitures ou pêcher dans l'arbre. Il ne devait guère être plus d'une heure et demie. La bibliothèque venait juste d'ouvrir mais il n'était pas entré. Il m'attendait sur le palier de l'escalier monumental où tout le froid de la terre semblait avoir trouvé refuge.

J'étais tellement surpris que je n'ai pas parlé, seulement ouvert la bouche pour le faire de sorte que Pomme a pu tout dire, tout de suite : que Daniel était parti avec le radeau et qu'il allait mieux, maintenant. Il s'est tu comme il avait parlé et c'est à ce moment-là que les questions que j'avais à faire ont commencé à venir, à la façon d'un groupe de types surexcités prétendant passer tous à la fois par la porte, fort étroite, de la bibliothèque, se heurtant, s'écrasant jusqu'à ce qu'un peu de raison leur revienne, qu'ils s'écartent, se calment suffisamment pour entrer un à un. Non sans bousculade, encore, puisque Pomme qui avait entrepris de répondre s'est tu, avant de reprendre au commencement, moi comprenant que je ne connaîtrais jamais rien si je lui coupais tout de suite la parole, me taisant la bouche ouverte pendant qu'il disait qu'il ne savait pas. Et moi : mais on devait tous, mais il aurait pu nous. Pomme a écarté les bras, paumes ouvertes, en signe d'ignorance. Et moi : il n'allait pas bien ? Pomme a de nouveau écarté les bras. Et moi : mais tu m'as dit, mais qu'est-ce que. Et Pomme, posément : il y a deux choses. Il a pris le radeau pour partir parce que ça n'allait pas. Et moi : et il va mieux. Et Pomme : oui. Mais après, après avoir pris le radeau, ça allait encore plus mal qu'avant. L'eau est plutôt fraîche. Et moi : mais tu m'as dit. Pomme a dit que Daniel était bien parti avec le radeau mais qu'il était rentré à la nage. Il a ajouté, en hochant la tête : et encore, à la nage... J'ai dit : tu veux dire. Et lui : exactement. Puis, après un court instant de silence de part et d'autre : que c'était pas sérieux, notre truc. Qu'il avait son idée. Qu'on verrait. J'ai demandé quoi, qu'est-ce qu'on verrait. Et lui : qu'on verrait. Qu'il fallait qu'il y aille. Qu'il avait un parallélisme à régler, des pots d'échappement, des vidanges. Il a suggéré, en s'éloignant, qu'on pourrait voir Daniel le lendemain, l'après-midi. J'ai dit oui, c'est ça, oui et il s'est enfoncé dans la cage glacée du grand escalier de pierre. J'ai gagné l'étroit cercle d'air tiède ou seulement moins froid qui se formait peu à peu autour du poêle. J'ai retrouvé la Boussole et l'Astrolabe où je les avais laissées, à l'ancre, dans la baie du Cénotaphe et La Pérouse en train d'observer les peuples qu'on a peints si bons parce qu'ils sont près de la nature et qu'il voit, lui, continuellement agités par la vengeance ou par la crainte. Mais de tout l'après-midi, je n'ai pas vraiment été avec lui, oublieux du froid, du jour blanc et du rapide crépuscule. Jusqu'à sept heures, le livre à la main, j'ai gardé l'exacte notion de l'heure et de l'endroit, songeant à

Daniel, au radeau et à la rivière couleur de plomb ou d'argile.

J'ai retrouvé Pomme le lendemain, au pire moment de la semaine, c'est-à-dire le dimanche vers deux heures de l'après-midi. Et comme on arrivait de surcroît à la fin du mois de janvier, c'était le pire moment de l'année. Il ne faisait pas vraiment froid. Il y avait même, à y bien regarder, de pâles traînées de soleil dans les rues désertes. C'est le vendredi soir, tard, que Pomme avait appris le départ de Daniel si on pouvait parler de départ quand on n'est pas arrivé ou qu'on est arrivé à peu près à l'endroit d'où on était parti. Mais c'est le jeudi que Daniel était parti (et arrivé). Pomme n'a guère eu la possibilité de m'en dire plus. Je l'avais pris en bas de chez lui. Il y avait une petite rue à remonter, on prenait à gauche et c'était tout de suite là, derrière des troènes et des hortensias desséchés. C'est Daniel qui a ouvert. Il portait simplement une veste en laine sur sa chemise. Je lui ai trouvé un air normal. J'avais imaginé que le voyage ou seulement le départ, le simple fait de se mettre à l'eau avec un arbre mort ou un paquet de bidons le rendrait différent. J'aurais été bien en peine de dire en quoi ou comment puisque précisément je n'étais pas parti, que je demeurais le même en ce dimanche d'hiver.

Des bruits clairs de cuillers, de porcelaine, de voix de femmes venaient de ce qui devait être le salon, derrière une porte entrebâillée. Daniel a dit que c'était sa mère. Son père était au match. Ces deux mots — père, mère — étaient à ce point chargés de rancune que je l'ai regardé. Mais il nous précédait, les mains dans les poches, roulant les épaules comme s'il se frayait encore un chemin à travers quelque chose d'hostile, d'étouffant. Sa chambre, en haut, était moderne, de même que la rampe en bois rouge, le portemanteau en fer forgé, avec des boules de couleur au bout, dans l'entrée. Au-dessus du lit, un avion anglais aux ailes ellipsoïdales tirait de toutes ses armes sur une formation de bimoteurs vert bouteille frappés de croix noires. Des chapelets de douilles voltigeaient sous le ventre bleu pâle du chasseur. Le deuxième bombardier commençait à basculer, son fuselage illuminé d'étincelles, le moteur droit vomissant des tourbillons de fumée et des langues de feu. Daniel s'est assis sous le carrousel d'avions, Pomme et moi sur le parquet, le dos à la cloison, attentifs.

Daniel a dit oui avant de se taire encore et qu'on n'entende absolument rien, que retombe le silence des dimanches de janvier, quand il est un peu plus de deux heures. J'ai regardé le ciel sans oiseaux, à la fenêtre, celui bleu lavande, granité, où le bimoteur moucheté d'éclairs amorçait son dernier piqué vers le damier des champs et des pacages et de nouveau le rectangle décoloré de la fenêtre que la nuit gagnerait bientôt. Et j'ai pensé que Daniel avait bien fait, que c'était le moment. Qu'ailleurs, ce ne serait peut-être pas le même ciel, le même vide morne ni surtout deux heures de l'après-midi.

Daniel a dit qu'il pouvait être quatre heures et demie (le jeudi) et qu'il rentrait de Fénelon. Son père était là. Il n'aurait pas dû l'être et Daniel avait compris, à le voir, que sa mère lui avait dit (à son père) et que c'est pour ça que son père était là, qui avait commencé tout de suite, avant même que Daniel eût refermé la porte : qu'il le foutrait à la caserne le jour de ses dix-huit ans et puis les coups, pendant que sa mère criait, essayait d'agripper le bras de son mari. Lui, Daniel, la tête dans les bras, avait renversé le portemanteau aux boules multicolores, glissé, plié en deux, le long de l'entrée, l'oreille en feu, tintante, jusqu'à ce qu'il trébuche contre l'escalier où le dernier coup, lancé à poing fermé, l'avait atteint en plein ventre, entre les coudes rapprochés. Il se souvenait d'avoir hésité s'il allait rendre là ce qu'il avait mangé à midi. Mais il était déjà sur la première marche. Il cherchait à gravir la seconde, privé de respiration, ramassé sur lui-même, durci au point que les coups suivants avaient été sans plus d'effet sur lui que si son père avait frappé une pellicule très mince, très résistante, une sorte de revêtement réfractaire qui épousait étroitement les contours de son corps recroquevillé sans toutefois lui appartenir, répercuter au-dedans l'effet de ce qu'il y a dehors et dont il faut se garder, le froid, le feu, les poings, etc.

Même après, quand il avait été dans sa chambre, le dos à la porte verrouillée, à chercher sa respiration, il se sentait dedans. Il a dit, comme si ce qu'il disait apparaissait au fur et à mesure devant lui, dans la lumière pauvre, qu'on est toujours dedans. Mais que ce dedans-là était presque parfait. Qu'il ne communiquait plus avec le dehors que par quelques points bien circonscrits, les yeux surtout et les narines. L'intérieur de l'isolant — l'envie tenace de vomir, les lueurs (la trace des coups, des premiers) — avait encore besoin d'air. Il s'est tu, les yeux fixés sur l'air terne, attendant, nous a-t-il semblé, à Pomme et à moi, d'y découvrir, lire ce qu'il pouvait y avoir encore dedans, le jeudi, qui reste tributaire du dehors. Mais il n'y avait sans doute rien d'autre de visible, d'écrit de ce qui lui était nécessaire, trois jours avant, tandis qu'adossé au panneau de la porte il essayait de prendre le contrôle de son envie de rendre et aussi celui de l'air cendreux dont il était privé depuis qu'il avait gravi l'escalier.

Il y avait seulement une espèce de vibration suraiguë, de sifflement comme on en trouve à la radio en cherchant dans les ondes courtes et qui ne l'avait pas quitté de tout le temps qu'il avait gardé la pose, les bras serrés sur le ventre, l'œil fixé sur le combat aérien au-dessus du lit. Après, il se voyait sur la terrasse, en appui contre le garde-corps en tube rond et après, encore, dans les rues du crépuscule. Les lampadaires s'allumaient avec des cillements verdâtres. Il ne se souvenait pas d'avoir sauté de la terrasse ni d'avoir écrasé les hortensias ni même des rues désertes de la proche périphérie où il habitait. Des chapeaux et des manteaux venaient à sa rencontre et c'était déjà le centre ville avec des devantures éclairées, les phares jaunes, encore bien ronds des voitures dans ce qui avait succédé, le jeudi, pour lui, à la terrasse. Il avait retrouvé son souffle. Il disposait de tout l'air désirable. S'il voyait mal, c'est que la nuit commençait juste à tomber. Il avait fait gris tout le jour mais si gris que puissent être les jours de la fin du mois de janvier, ils ont gagné sur la nuit. Pas beaucoup, pas au point qu'on soit sûr que janvier finira mais suffisamment pour qu'on voie les contours friables des manteaux et des chapeaux, des maisons, des voitures dans la clarté diffuse qui s'attarde. A cela — que tout était devenu poreux, léger, tourbillonnaire —, il y avait cette autre raison que les passants, les voitures aux yeux jaunes ne faisaient pas leur bruit habituel de moteurs, de pas pressés. Il avait emporté avec lui le sifflement éthéré. Il a dit qu'il savait bien que ce n'était pas vraiment un sifflement, qu'il était seul à l'entendre mais que les murs de grès, les lampadaires de fonte, les hommes et les femmes emmitouflés dans leurs sombres habits d'hiver dérivaient à ses côtés sans plus de conséquence ni de réalité que les bribes de musique et les éclats de voix qu'on tire du néant quand on manipule le bouton des ondes courtes et que la plus légère pression du doigt y replonge. Il était dedans avec la même netteté la même tranquillité que l'instant d'avant ou, déjà, le précédent, quand les coups l'avaient durci, trempé, séparé du dehors. Il évitait de frôler les silhouettes buvardées, même les murs, même le pied des lampadaires, de peur de les faire voler en morceaux, se résoudre en limaille, en sable fin, en poussière d'os et de peau, lui seul, sous l'hermétique protection, gardant ce qu'il fallait de consistance pour trouer la nuit vaguement lumineuse, le poids de l'hiver et, au-delà d'eux, le roncier desséché, l'eau qu'il supposait rouge dans l'air éteint.

Parce qu'à compter de l'instant où il s'était redressé en s'appuyant au panneau de la porte de sa chambre, la question de savoir ce qu'il allait faire, de la décision à prendre ne l'avait même pas effleuré. Elle était résolue depuis que la première gifle l'avait envoyé contre le mur et que tous les bruits, les cris avaient disparu derrière la vibration. Maintenant, il n'y avait plus de voitures, à peine quelques silhouettes espacées dans les rues étroites qui menaient à la rivière. Il lui a même semblé qu'il faisait plus clair, que la nuit qui avait pris possession de la ville épargnait ses entours peuplés d'arbres, de maisonnettes délabrées, de friches et de draisines. C'est là qu'il avait pensé à nous. Il n'était pas vraiment malheureux ni effrayé. C'était même plutôt l'inverse, une sorte de tranquillité — il a répété : je crois bien que j'étais heureux — puisqu'il allait s'embarquer, que toutes les complications que nous avions envisagées, le temps, le froid de l'eau, le sommeil et la faim, la clémence lointaine, précaire, des plus hautes heures de l'an s'étaient dissipées.

Il avait dépassé les dernières maisonnettes, construites en

47

planches à clin, grises dans l'air gris, suivi la passée claire, sinueuse, du sable entre les massifs du roncier et atteint la berge. Ou plutôt il s'était rendu compte qu'il avait déjà les pieds dans l'eau. Que la rivière, grossie par les pluies, avait envahi ses bords, poussé partout de longues langues calmes sous les herbes mortes, les aulnes et les saules riverains. Je lui ai demandé comment c'était. Il a dit, en cherchant le mot, avec lenteur : facile. J'ai dit : mais l'eau. Et lui : pareille. Il voulait dire qu'elle était comme tout le reste, les cinq mètres de haut de la terrasse, le froid âpre du soir où glissaient des murs fragiles, des manteaux, de fantomatiques devantures : séparée, incapable de franchir la fine, l'infrangible pellicule protectrice sous laquelle il allait.

Le radeau, le grossier paquet de bidons d'huile et de planches flottait dans l'herbe morte, de la même couleur que l'eau qu'il y avait sous l'herbe, que le ciel, comme si la création, à cette heure, en ces tréfonds du crépuscule et de l'hiver, avait été taillée dans la même substance triste et friable et que toute l'espérance se fût réfugiée avec lui, dedans. Le plus difficile avait été de retrouver le cadenas dans le manchon gluant, fait de feuilles, de brindilles, de limon qui s'était formé autour de la chaîne puis l'étroit orifice de la clé au bas du cadenas. Il ne se souvenait pas non plus d'avoir pris la clef, dans sa chambre et il n'avait eu à aucun moment la pensée qu'il en aurait besoin pour détacher le radeau du pied du saule. Mais il la pinçait fermement entre deux doigts quand le moment de s'en servir était venu et son seul souci était de ne pas l'échapper dans l'herbe pleine d'eau ou l'eau pleine d'herbe où il s'était accroupi pour mieux voir. Il avait senti le radeau bouger, s'ébrouer lorsque la chaîne avait glissé. Il a dit, en nous regardant alternativement, qu'il pensait à nous. Qu'il aurait suffi que nous soyons accroupis près de lui, dans la pénombre, derrière le sifflement, pour que ce soit bien. Il n'avait même pas eu besoin de pousser le radeau. Il s'était mis à glisser de lui-même, insensiblement, dans l'universelle grisaille, comme si les bidons avaient entendu l'appel auquel lui-même, Daniel, répondait obscurément. Qu'ils eussent perçu le sifflement d'ondes courtes, l'invite ténue, venue à travers l'éther faiblement lumineux, d'un endroit différent, d'une autre couche de la durée où ce ne serait plus les cris, les coups, l'hiver sur la ville morfondue. Il ne savait pas. Et s'il était désireux de savoir, c'était sans hâte ni fureur, posément, comme il avait sauté de la terrasse puis marché par les rues indécises vers la rivière, comme il pataugeait maintenant dans vingt centimètres d'une eau lourde, muette, pareille à du plomb fondu. Mais sans doute, a-t-il ajouté, que même dans cette langue d'eau, cette mare, le courant se faisait sentir et que c'est lui qui aimantait le radeau vers le milieu du lit.

Il l'avait suivi dans la pénombre de six heures moins le quart ou de six heures moins dix, quand c'est, ce devrait être la fin du mois de janvier, aux abords immédiats des villes. C'est là, dans l'écran serré des aulnes riverains, que tout avait changé. Pas d'un seul coup. Rien que l'appel, d'abord, la vibration. Non qu'il eût cessé de l'entendre. Jamais il n'avait rien entendu d'aussi net. Mais elle était toute proche, maintenant, à le toucher. Il a dit qu'il aurait vraiment aimé être avec nous. Enfin, que nous soyons tous ensemble à la frontière de l'eau coite, herbeuse et de l'épaisse ruée sifflante et grondante au bord de laquelle il se tenait, interdit. Il sentait aussi l'enveloppe protectrice tomber par plaques. Il avait perçu, après coup, la morsure de l'eau dans ses jambes, jusqu'à l'os, jusqu'aux moelles, d'une cruauté qui l'avait fait grogner ; celle de l'air aussi, partout, dans le dos, entre les omoplates, sur sa figure, ses mains mouillées, comme du sable, du verre pilé.

Le radeau qui se dandinait sournoisement à ses pieds avait amorcé une fulgurante demi-rotation et il s'était retrouvé immergé jusqu'aux cuisses en train d'essayer de le retenir. Il l'avait croché comme il avait pu, par un bout de la dernière traverse (ou de la première, vu que le radeau n'avait pas à proprement parler d'arrière ou d'avant). Seulement, pas plus qu'il n'était à cet instant le dedans calme, inexpugnable où il avait agi depuis le commencement, le radeau ne s'apparentait à l'assemblage inerte de planches et de bidons assujetti au pied du saule. Daniel a dit que c'était à peu près comme s'il avait tenté de retenir le dernier wagon plate-forme d'un train de marchandises avec l'avant de la locomotive d'un autre train qui essayait de lui faucher les jambes. Pas même les jambes parce que l'instant où il avait eu de l'eau jusqu'aux cuisses n'avait pas vraiment duré, ne pouvait pas être considéré comme un instant : toute la partie du corps comprise entre les aisselles et la plante des pieds, étant entendu que s'il n'avait pas gardé l'appui de la traverse de l'espèce de bolide que le radeau était devenu, c'est par-dessus la tête qu'il aurait eu ce qu'il appelait (le dimanche, trois jours après, devant nous) de l'eau mais qui, le jeudi, était du plomb fondu, une meute de locomotives lancées à ses trousses et aussi un banc compact d'hydres dont les dents effilées le perçaient en tous sens. Après quoi il s'était retrouvé couché sur le caillebotis du dessus sans bien comprendre (à ce moment-là ; maintenant, il pensait que l'avant avait dû heurter quelque chose d'immergé, une souche, une grosse pierre, plutôt une souche, et que la poussée de l'eau l'avait jeté en avant, dehors, dans l'air, sur le radeau), tout cela beaucoup trop vite pour qu'il puisse à la fois le faire ou le subir et se rendre compte qu'il le faisait, subissait, que ça lui arrivait dans le temps distinct où la rivière déferlait.

S'il avait connu quelque répit, c'est là qu'il l'avait eu, étendu sur les planches, cramponné des deux mains aux longerons pendant que les berges, le dos bombé de la rivière et un essaim de lumières entamaient le tournoiement qui ne cesserait plus.

Il avait pensé qu'il était pris dans un remous comme il s'en formait, au bord. Tout un jour, on y voyait le même flacon, les mêmes branches, la même balle de caoutchouc parcourir la même orbite, comme si le temps, sur l'eau, n'était pas le même, qu'il passe sans passer, ainsi que font les rivières. Elles s'en vont au loin et elles demeurent pourtant, pareilles à elles-mêmes, à nos pieds. Il s'est tu avant de reprendre dans l'insensible durée de l'après-midi du dimanche. Il a dit que c'était différent de maintenant, d'ici, et du menton il désignait les cloisons jaune paille, l'armoire en pin, le plongeon suspendu de l'avion anglais aux ailes ourlées de flammes. Non seulement il ne se représentait pas du tout ce qui était en train de lui arriver, sur la rivière, il n'y avait plus de rapport entre ce qui se passait (et qui le concernait) et ce qu'il pensait mais à supposer qu'il y en ait eu un, il n'y en aurait quand même pas eu. Tout s'était mis à aller si vite que quelque chose d'autre que ce qu'il avait réussi à concevoir était en train de se produire et qu'au moment où il finissait par admettre que ce n'était plus la même chose, une troisième avait commencé d'avoir lieu. Il nous a regardés pour s'assurer que nous comprenions bien.

51

Donc, ce n'était pas du tout un remous du bord où le temps tourne en rond avec des flacons de verre et des balles en caoutchouc. C'était précisément le contraire : le milieu du courant, l'arête de l'espèce de dos qu'il formait et sur lequel le radeau, avec lui, Daniel, dessus, avait été projeté en tournoyant par le heurt de la pierre ou de la souche immergée. Et tout près, se rapprochant encore dans l'instant même où Daniel découvrait qu'il s'en rapprochait à la vitesse d'une locomotive, le pont sous son essaim de lampadaires. Il avait dû le dire — le pont — quoique tout ce qu'il pût alors penser ou dire fût parfaitement dénué d'importance, décalé, dépassé, et que ce qu'il voyait quand il avait dit le pont ne fût déjà plus le pont mais la traînée grise de ce qui devait être la berge (l'autre) puisque le radeau continuait de tournoyer dans le sens des aiguilles d'une montre, puis l'échine, le dos de l'eau rebroussée entre ses rives, en amont, puis, loin, la traînée grise de l'autre berge — celle où il s'était embarqué, s'il avait eu quelque part à ce qui se passait, arrivait. Et quand le pont avait repris sa place, droit devant, ce n'était plus lui, l'ombre dans l'ombre pivotante où Daniel avait deviné les porches plus clairs des arches, la grappe de lueurs. C'était, à moins de trente mètres, l'arête du pilier central entre deux gouffres ténébreux. Il s'était souvenu des grands arbres déracinés que nous regardions approcher, se jeter contre la pile dans les bouillons d'écume avant de ressortir rompus, balafrés, de l'autre côté, pareils à des sauriens vaincus. Il était, lui, la miette de conscience au sommet de l'épine dorsale du monstre, quand il va livrer son dernier combat. Les arbres vivaient encore, lorsque nous observions leur nage émergeante et plongeante. Ils mouraient au pont et leurs corps abandonnés allaient ensuite se décharner et blanchir sur la rive.

Il a dit : bon. Que c'est tout ce qu'il avait imaginé quand il avait découvert l'arête de la pile, l'étrave aiguë avec ses deux moustaches d'eau grise où le reflet des lampadaires mettait des feux rougeâtres. Il avait encore effectué une demi-rotation lorsque ça s'était produit : il voyait le dos gonflé de la rivière, comme s'il avait réellement fait corps avec elle, qu'il fût devenu l'esprit inconstant de l'eau coureuse puis il avait fait nuit. Ou bien la nuit qui avait fini par tomber quand il avait quitté la rive était devenue impénétrable et le grondement tel qu'il ressemblait au silence. Ça ne faisait pas plus de bruit que ça — et du menton, il a indiqué la chambre où nous l'écoutions, et au-delà le vide du dimanche après-midi, de l'hiver étale auquel on n'imaginait plus de fin. Il y avait eu une secousse, une seule, et elle ne lui avait pas paru très forte. Il ne l'avait même pas entendue, dans ce silence, juste senti le longeron de gauche auquel il s'agrippait s'en aller, ne plus être dans sa main mais sans fureur, éclat ni violence ni tout ce qu'on croyait que les arbres devaient connaître quand ils s'engageaient entre deux piles où nous cessions de les voir. C'est peut-être ainsi que les arbres meurent. Ils sentent leurs maîtresses branches les quitter, leur écorce se détacher d'eux par grands lambeaux mais cela se fait comme ils ont vécu, traversé les saisons, les siècles, sans les atteintes de la peur, les cris, les affres de l'espérance. Curieusement, l'intermède très bref (qui aurait dû être très bref si par exemple il avait été ailleurs, ici, dans sa chambre ou penché sur le parapet) pendant lequel il avait passé sous le pont lui paraissait, lui avait paru, durer longtemps, à proportion du degré de délabrement auquel était parvenu le radeau lorsqu'il avait jailli avec lui dans la nuit grise qui recommençait au sortir de la nuit noire de l'arche.

Ce n'était plus vraiment le radeau. Il continuait de le croire parce que ça n'avait pas fait de bruit, que la secousse, le heurt contre la pile ne lui avaient pas paru importants. Qu'il n'existait toujours pas de rapport entre ce qu'il voyait ou entendait et ce qui se passe au milieu des rivières, le soir, l'hiver. Il était tourné vers l'aval, chevauchant l'échine de l'eau. Il avait cessé de tournoyer. Il savait qu'il avait passé le pont. Il s'était mis à supposer que rien, désormais, ne l'empêcherait plus d'aller jusqu'à ce que le mouvement horizontal, rectiligne, change, devienne vertical, alternatif. C'est qu'il aurait atteint la mer.

Il a dit oui, avec un accent de regret qui nous a fait hocher la tête, à Pomme et à moi. Puis qu'il avait imaginé que c'était son imagination quand il avait aperçu une coquille Saint-Jacques glissant à ses côtés. Car il commençait à comprendre que tout ce qui s'était produit en amont du pont avait échappé à sa compréhension, qu'il n'y avait pas d'hydres aux dents innombrables ni de locomotives, rien que de l'eau et lui dessus avec des planches et des bidons. Et que si différent que soit le temps où les rivières fuient, ce ne devait pas être une coquille Saint-Jacques. Il ne pouvait pas avoir encore atteint la mer. Seulement, ce n'était pas un mais dix, mais vingt coquillages qui lui faisaient escorte avec l'envol brusque, saccadé, des mollusques marins. Il ne pouvait plus douter que ce soient des coquilles Saint-Jacques. Il avait fallu que d'autres bidons, d'Esso, d'Azur, se mettent à fuser autour de lui avec les bidons marqués de la coquille Saint-Jacques pour qu'il revienne, à regret toujours, de l'illusion que c'était l'océan. Il était encore sur la rivière ou plus précisément dans la rivière avec juste un petit morceau de caillebotis entre les doigts de la main gauche, le reste, les cent quarante-quatre bidons, les planches, les kilomètres de fil de fer dont le tout était bardé ayant été dispersé entre l'instant où le radeau avait heurté une pile dans la nuit noire de l'arche et celui, guère plus tardif, où Daniel comprenait à tout le moins ceci : qu'il n'arriverait jamais à comprendre ce qui lui arrivait quand il était encore temps, que c'était en train d'arriver.

Alors, il avait abandonné. Il avait fini par se rendre à l'évidence que tout ce qu'il pouvait supposer, faire, était sans rapport avec ce qui devait se passer, une complication, une peine inutiles. Il était déjà sous la surface, parmi les troupeaux d'hydres, au sein de la force pure qui se frayait un chemin vers la mer et il avait pensé que c'est ainsi, sous la surface, secrètement, qu'il l'atteindrait. Il avait retenu sa respiration, cherché à n'être qu'un dedans parfait, définitivement affranchi du dehors, même de l'air qu'on ne cesse de lui emprunter pour le lui rendre et le reprendre encore. Mais cette prétention, cette erreur, il l'avait également abandonnée puisque son destin était, à l'opposé, d'être tout entier dehors, il le comprenait enfin. Il avait avalé de l'eau. Il devenait de l'eau et de la nuit et ce n'était pas plus difficile que longtemps avant, lorsqu'il était un dedans séparé marchant dans les rues du soir. La lumière, seule, avait changé, rouge, atroce, verte, insupportable — mais il ne raisonnait plus, il avait abandonné.

Il a dit qu'il ne savait pas ce que ça avait duré. Même maintenant, il était incapable de juger. Il a fait un effort, les paupières plissées, puis il a déclaré qu'au bout du compte, ça ne devait pas aller chercher loin, juste le temps qu'il avait mis à couvrir la distance qui séparait le pont du plan incliné qui coupait le talus de la rive, cent mètres plus bas. Il gesticulait comme un fou, dans la lumière verte, violente, changeante, quand il s'était rendu compte qu'il n'était pas la rivière, la force pure. S'il s'était levé au lieu d'agiter bras et jambes, il aurait eu de l'eau à la cheville. Mais il avait fini par prendre son parti de ne plus chercher à savoir et il s'y tenait, crawlant sur place dans dix centimètres d'eau sous la nuit grise, échangeant avec le dehors de petites quantités d'air qui disputaient à l'eau la place où il y avait eu un dedans, puis le dehors et de nouveau l'ébauche d'un dedans.

Il y a toujours des gens. Il s'en était trouvé au moins deux, d'abord, pour le mettre complètement au sec, sur le pavé, tandis que fidèle à son ultime maxime, il nageait avec rage, méthodiquement. Et presque aussitôt après, un nombre important, indéterminé, qui l'entouraient d'un écran ininterrompu. Lui nageait. Il avait dû arrêter quand les pompiers l'avaient empoigné comme un fétu, à moitié asphyxié avec leur masque et fourré dans le camion. Et après, encore, il était à l'hôpital, en observation, apaisé, mélancolique, la tête tournée vers la fenêtre, vers l'ouest obscur où sommeillait la mer.

IV

Le mois de mai est revenu et, après, celui de juin. Mais à partir d'avril, le temps glissait tout seul alors qu'avant, c'était l'inverse, un marécage, une eau lourde et noire, immobile, dont on ne sortirait jamais si l'on ne tirait pas de toutes ses forces, continuellement.

Alain révisait le bac, la première partie. Je n'avais pas vu Daniel, la veille, à la bibliothèque. Je ne savais donc pas ce que Pomme ferait. J'étais seul, le dimanche, à califourchon sur la troisième branche, surveillant divers jeux de lumière, apparences d'ombre, mouvements qui correspondaient, même si c'était mal, de façon déformée, instable, à ce qui se passe sous la surface. Ce que nous appelions l'arbre, l'eau, pêcher n'a peut-être jamais consisté qu'en cela : démêler la succession des rapports à travers lesquels des moires, des allures d'herbe mêlées aux images des nuages et des pincées d'oiseaux finissaient par devenir ce qu'on appelle des poissons, des fuseaux plats, brillants, qui se tordent et claquent entre nos mains avant de noircir et de se racornir dans l'air chaud. Nous n'aurions jamais repris le chemin de la rivière une deuxième fois si son éternelle énigme n'avait éclipsé dès la première les préoccupations, devoirs, énigmes de la vie aérienne que nous menions du dimanche après-midi que nous quittions la rive au commencement de la matinée du dimanche suivant que nous la retrouvions. Ceci lorsque le temps s'y prêtait, c'est-à-dire d'avril ou seulement du début du mois de mai jusqu'au milieu de l'automne, après quoi la rivière changeait, devenait pour deux saisons l'uniforme ruée brune ou grise ou rouge qu'il y avait péril à approcher.

Il n'était plus très loin de dix heures du matin. L'odeur de l'herbe, des aulnes s'ajoutait à celles de l'eau et du limon, lesquelles régnaient d'abord sans partage. J'avais déjà pris des poissons mais par raccroc. Je n'avais pas encore réduit le jeu toujours neuf des apparences, des ombres et des reflets, assigné à chacune, à chacun, sa signification exacte, ce qu'ils auraient représenté si ce qu'ils représentaient s'était trouvé dans l'air ou que j'aie vécu dans l'eau ou qu'il n'y ait que l'air et rien d'autre ou que l'eau. Une seule chose. Dix heures, donc, n'allaient pas tarder quand j'ai commencé à y voir clair, à distinguer entre les ombres mouvantes, ondulantes, en tout point identiques tout le temps qu'on ne s'inquiétait pas de savoir si dans l'air, par exemple, elles le seraient restées. Et la preuve, c'est que j'ai fini par ne plus m'occuper que de celles qui devenaient sans transition un éclair blanc, un poisson à la seconde où je comprenais qu'il fallait tirer. Le soleil montait vite, ayant, ces jours-là, une longue course à fournir. Les rapports changeaient insensiblement entre ce qu'il y avait sous la surface et ce qu'on en devine lorsqu'on se tient de l'autre côté. J'ai fini par l'admettre parce que je ne prenais plus rien alors que je n'avais pas cessé un seul instant d'agir comme l'instant d'avant ou ce qui, au bord de l'eau, semble tel jusqu'à ce qu'on s'avise, éberlué, qu'il n'est plus dix heures mais onze. Que les ombres qui représentaient des poissons ne sont plus que des ombres tandis que ce sont les reflets clairs, les taches mobiles de soleil sur le fond de sable clair qui doivent être, pour certaines d'entre elles, du moins, les poissons. Ce qui s'est avéré le cas puisque la plus proche s'est mise à étinceler et que le poisson qu'elle était devenue est monté à moi parmi les feuilles. J'ai recommencé, vite, car c'était déjà presque la fin, l'étroit défilé où s'engouffrent l'éternelle jeunesse du monde, l'espérance, le matin.

Les cloches ont sonné midi. De toute façon, avec la chaleur, la lumière verticale, ça ne vaut plus rien après jusqu'à ce que le soleil se remette à pencher. L'eau est transparente et vide. Elle ne contient pas plus de poissons qu'un volume d'air équivalent pris n'importe où, à hauteur d'homme ou à cinq mille mètres d'altitude. C'est seulement avec le soir qu'elle se repeuple d'ombres et d'apparences dont certaines peuvent se transformer en poissons.

J'ai pensé, en regagnant la terre, qu'il n'était même pas nécessaire d'en prendre. Que l'important résidait sans doute dans le fait qu'il existe des poissons ou plus simplement dans celui qu'il n'y ait pas rien que la terre ou l'air ou l'eau (ou le mélange irrespirable, brûlant, d'ammoniac et de méthane de l'atmosphère primitive, lorsque la planète s'est formée à partir de poussières et de débris, ainsi que je l'avais appris à la bibliothèque dans de gros livres froids). Mais que les trois existent conjointement et que leurs rapports se modifient avec les saisons, avec chaque heure du jour, pour notre ravissement infini.

Il n'avait plus été question de partir depuis que Daniel avait tenté l'aventure et qu'elle avait failli mal tourner sans

59

avoir vraiment commencé. Il l'avait racontée une bonne demi-douzaine de fois à chacun d'entre nous en particulier et à peu près autant de fois lorsqu'il arrivait — de moins en moins souvent — que nous soyons tous quatre réunis. Je ne sais trop ce qui du regret ou de l'effroi l'avait emporté d'abord. Mais maintenant — l'été de l'année suivante —, j'avais perdu jusqu'au souvenir de l'effroi. Je suppose que si j'avais eu la moindre raison de partir, je l'aurais fait, même en hiver. J'en avais parlé quand nous étions tous les quatre, pas trop, pour voir. Daniel avait eu un regard bizarre, comme s'il voyait non pas l'eau paresseuse de juin miroiter sous nos pieds mais ce qu'elle avait été et serait encore, la ruée irrésistible qui lui avait fait un brin de conduite jusqu'à la rampe du lavoir. J'avais surpris le regard d'Alain, comme s'il avait surpris la vision grise, grondante, flottant devant le regard de Daniel. Pomme n'avait rien dit. Ce qu'il pensait, craignait (ou non) n'apparaissait pas dans ses yeux ni sur sa figure. Il fallait attendre qu'il ait parlé pour être fixé. Il a gardé le silence longtemps. C'est vers la fin de la matinée qu'il a donné son avis alors que plus personne ne l'attendait : que c'était du bidon, notre histoire de radeau. Puis après un nouveau délai, quand nous avions cessé d'y songer : qu'il avait son idée.

Là-dessus, Alain a décroché le probatoire. J'ai été admis en première. Daniel est resté en troisième, à Fénelon. Pomme continuait à remplacer des cardans, des bougies et des plaquettes de freins.

Une nouvelle année a passé, beaucoup plus vite qu'aucune de celles que nous avions déjà traversées. J'ai retrouvé l'aulne dans la glorieuse lumière parce que c'est cette année-là que le probatoire a été supprimé. Alain passait l'écrit du bac. Je n'avais pas vu Daniel, la veille, et je ne savais pas ce que Pomme fabriquait.

C'est le surlendemain — le mardi, en fin d'après-midi — que Daniel est passé à la maison. Je ne travaillais plus vraiment et lui, rien qu'à le voir — en bermuda, la chemisette nouée sur le nombril —, plus du tout. Il fallait encore aller chercher Alain, vite, et nous sommes sortis dans la chaleur dure des rues. Alain non plus ne faisait pas grand-chose. Il avait terminé à quatre heures par l'anglais. La cravate défaite, il se donnait l'air de quelqu'un qui revient de loin. C'est là que Daniel a dit que Pomme allait chercher sa voiture et qu'il avait besoin de nous. J'ai ouvert la bouche pour dire qu'il, que c'était, en les regardant tous les deux, Daniel impavide, qui attendait que Alain, l'œil éteint, lointain, refasse son nœud de cravate. Mais ni l'un ni l'autre (Alain, du moins) n'a paru surpris de ce que j'étais en train de comprendre : que Pomme avait dix-huit ans (il allait les avoir dans quelques semaines ; Alain les avait depuis quelques jours). Que c'était non seulement l'âge où l'on peut s'installer au volant d'une voiture mais celui — à mes yeux — où tout devenait différent. Pas uniquement normal, nécessaire, un peu mélancolique, ainsi qu'il en allait — j'en ai eu la subite révélation — avant. Différent.

C'est pour dire ça ou quelque chose d'approchant que j'avais ouvert la bouche. Mais je ne l'ai pas dit. J'ai découvert, en ouvrant la bouche, que c'était fait. Que nous avions changé sans que personne le dise à aucun moment. Il suffisait de regarder, de les voir, Daniel le nombril à l'air, Alain à qui la fatigue faisait les joues noires partout où la barbe lui aurait poussé s'il ne l'avait pas rasée. J'ai pensé, en refermant la bouche, même moi. Même moi, sans quoi je ne me serais pas trouvé avec eux dans la lumière blanche du soir naissant de juin ou bien ils ne l'auraient pas trouvé normal. Ils me l'auraient dit.

Alain a dit : allons. Nous sommes descendus dans la rue. La lumière n'avait pas bougé. Sur le boulevard, on respirait en même temps le parfum des tilleuls et l'odeur des gaz brûlés. Après le grand hôtel moderne, en béton cru, avec des baies vitrées et des enseignes au néon, on a pris par les petites rues calmes où le temps semblait s'être arrêté un dimanche après-midi, parmi les murets de grès ocre, les fleurs en pots et les marquises. Les gens, qu'on voyait rarement, vers onze heures, le matin, ou bien après dîner, quand ils sortaient des chaises et s'asseyaient sur leur perron, les gens aussi avaient cet âge, je ne savais pas trop lequel, où la figure et tout le reste, ce qu'on peut dire, faire, demeuraient au détail près ce qu'ils étaient quand nous avions découvert leur existence. Puis nous avons retrouvé la cohue grondante des voitures, les types, sur leurs motocyclettes, qui venaient en boucher les interstices et le parfum des tilleuls jusqu'à ce qu'on tourne et qu'on arrive au garage.

Habituellement, il fallait s'enfoncer profondément dans la pénombre et le vacarme avant de trouver Pomme en combinaison bleue, penché sur ou couché sous les organes démantibulés d'une voiture ou d'un fourgon. On lui criait (ou à ce qu'on voyait de lui, deux jambes ou seulement deux pieds chaussés d'espadrilles saucées de cambouis) que c'était d'accord pour dimanche et on quittait en pressant le pas l'antre ténébreux plein de cris, de moteurs poussés à bout, d'éclairs bleuâtres. Mais cette fois-ci, il était dehors, debout, dans la merveilleuse clarté du soir. Il avait gardé sa combinaison. Il m'a demandé ce que ça avait donné l'avant-veille, dans l'arbre. Je le lui ai dit. J'ai fourni quelques détails supplémentaires à Alain et à Daniel à qui j'avais déjà tout raconté, en chemin, et nous sommes repartis en évitant l'avenue, par les ruelles capricieuses qui s'ouvraient (à ce moment-là) derrière. On a sinué entre des jardins ensauvagés, des remises délabrées, des sureaux, des bouleaux nains, des bardanes avant de couper la longue rue triste parallèle à la voie ferrée puis la voie ferrée. Après, il y avait d'autres maisons, jardins, remises mais ce n'était plus la ville. Il s'y ajoutait des vides, des prés, des cabanes en planches. On entendait des caquètements de poules et la chaleur était celle de la campagne, sans le rayonnement sourd des murs de grès.

J'étais, moi, occupé à admettre que nous étions bien en train de faire ce qu'il paraissait, c'est-à-dire d'accompagner Pomme qui allait prendre livraison de sa voiture et surtout le fait que c'était ainsi, normal, alors que ça ne l'avait jamais été auparavant et qu'il ne m'avait jamais semblé que ce ne soit pas, plus, auparavant. Et dans le droit fil de cette pensée, cette autre m'est venue que Pomme n'avait pas tout à fait l'âge légal de prendre le volant d'une voiture, même s'il s'en fallait de peu. Ce que j'allais dire quand il a dit, en désignant une colonne de fumée sale, bien droite sur le ciel profond, que c'était là. La route s'élevait imperceptiblement entre les talus fleuris, les petites fermes à l'abandon, les chantiers, les friches. Je ne sais pas ce que j'avais imaginé tandis que nous entrions dans la campagne en fête. Tout, sans doute, sauf ce que nous avons découvert au pied de la fumée quand nous avons atteint le sommet de la déclivité de la route.

C'était comme un morceau d'une autre planète, un fragment de cataclysme, comme l'hiver ou une partie de l'hiver, la pire, qu'on aurait transplantée là et soigneusement entretenue, protégée de l'éternel retour des fêtes terriennes. Et encore les deux vastes hangars de tôle ondulée en masquaient tout un morceau. Je parlais. J'ai dit à Pomme, à son dos, que c'était un dépotoir, une. Il a simplement hoché la tête, sans se retourner. Nous avons continué à avancer sur ce qui n'était plus une route ni même un chemin mais deux ornières et un billon de terre noire, calcinée, sans un brin d'herbe, jusqu'à ce qu'on atteigne l'angle du premier hangar et qu'un chien aussi noir que la terre du chemin, aussi gros qu'un veau, comme il a dû en exister au temps des grands cataclysmes ou aux âges glaciaires, se dresse et qu'il nous faille nous arrêter. Les oiseaux, s'ils fréquentaient ces parages, n'avaient pas encore repris. Il n'y avait pas d'insectes non plus, faute du brin d'herbe dont ils ont besoin. Le silence était celui des heures mortes de l'an. Le chien ne bougeait pas. Nous avons attendu. Daniel, à ma gauche, sifflait silencieusement. Puis, près du chien, il y a eu le type. Je n'ai pas été vraiment surpris. A côté des rapports ineffables, éternellement changeants du ciel et de l'eau, il en existait d'autres, parfaitement sûrs, ceux-là, constants, clairs, si l'on peut ainsi parler, entre certains endroits de la terre ou de ce que nous connaissions de la terre et le genre de gens qu'on pouvait s'attendre à y trouver, comme nous (Alain et moi) au lycée, Daniel à Fénelon ou bien les êtres élimés, immuables qu'on rencontrait, rarement, dans les rues endormies, derrière le boulevard, et qu'on ne rencontrait que là. Qu'on n'aurait jamais surpris, comme nous, dans les arbres riverains ou en plein milieu de la rivière à des heures indues ou ailleurs encore.

De loin, on l'aurait cru agenouillé ou enterré jusqu'aux genoux. Mais il a fait un pas vers nous et nous nous sommes avancés. A la même seconde, le chien a fait mine de s'élancer en découvrant des crocs très blancs dans tout ce noir, mais le type lui a tapé sur la tête et le chien s'est rassis. De près, ça intriguait toujours. Nous lui rendions bien une tête et demie, au type, mais il était aussi épais que nous quatre réunis et Pomme n'était pas précisément mince. Son tricot de peau avait dû être bleu mais il était noir comme le chien, la terre, les ponts arrière, les poutrelles métalliques entassés sous les hangars. Ses avant-bras ressemblaient à des bielles, à de grosses pièces brutes de fonderie, ce qui rendait le haut, les biceps encore plus monstrueux, d'un blanc de lait, de nacre, pareils à deux corps d'enfants dodus, repus, accrochés à ses épaules. La tête, l'espèce de grosse boule directement posée sur le tronc avec un bout de paillasson, dessus, ajoutait à l'impression d'enfance jusqu'à ce qu'on ait cherché et trouvé le regard. D'abord, on se demandait si le type pouvait voir à travers les fentes minces qui lui tenaient lieu d'yeux puis on faisait attention. J'apercevais aussi les voitures, les unes empilées sur trois ou quatre épaisseurs, en vrac, d'autres, plus loin, vaguement alignées. Il y avait même un avion désailé dont l'aluminium concentrait les feux du soleil. Pomme a dit tout de suite, rappelé plutôt, que c'était trente mille. Le type a agité imperceptiblement le pied de chaume qu'il portait sur la tête. Il nous a regardés et il nous a tourné le dos. Pomme lui a emboîté le pas et on les a suivis à travers le dédale de carcasses, les pyramides de débris. Le sol était spongieux, jonché de flaques d'huile. On a dépassé le feu de pneus. Les flammes courtes, d'un rouge sombre, rongeaient le caoutchouc fondu comme un mal et les quartiers de fumée grasse cherchaient à s'élever en tournoyant vers le ciel splendide. Le type a pris entre deux murailles de voitures. J'ai échangé un regard inquiet avec Alain. Ensuite, les voitures n'étaient plus que sur une seule épaisseur, des

Arondes, des 4 CV, des Juvas et puis les deux Tractions 15, côte à côte. Le type s'est arrêté.

Pomme s'est approché de la première. Il a regardé partout, à l'intérieur, devant, derrière. Il s'est couché sur la terre spongieuse pour examiner le châssis. Il a passé la seconde en revue, pesé de tout son poids sur les pare-chocs, le visage égal, l'œil songeur, avant de revenir à la première dont il a soulevé l'un des vantaux à opercules, rapidement. J'ai parlé. J'ai dit qu'il n'y avait pas de moteur pendant que Pomme disait d'accord au type. J'ai répété, beaucoup plus fort qu'il n'était nécessaire : Il n'y a rien, elle n'a pas de. Pomme m'a regardé en cherchant dans la poche de sa combinaison et j'ai vu qu'il avait vu, lui aussi. Il a compté les trois billets au type dont on n'arrivait pas à saisir le regard et il a dit qu'on y allait. Il a pris le volant par la fenêtre ouverte. Le type s'était placé derrière et la 15 glissait sans effort hors de son emplacement. Nous avons parcouru en sens inverse le labyrinthe de pneus et de ferrailles, contourné le pied de la colonne de fumée dressée dans le soir doré. La Traction avait l'air de trouver, de suivre toute seule le chemin, comme si elle n'avait attendu que Pomme, que nous, pour renaître au mouvement, à l'étendue, à l'éclatante saison où nous entrions.

Le type nous a accompagnés jusqu'à l'embranchement en s'appuyant négligemment sur la tôle salie de la carrosserie. Le bruit de succion a cessé. Les pneus ont fait crisser le gravier. Nous étions sur la route. Nous avons entendu d'un seul coup les oiseaux, les insectes, reconnu une à une les senteurs de juin. C'est là que le type a parlé, qu'il a demandé si on allait loin. Pomme a dit que non, pas très. Le type a incliné légèrement le petit morceau d'éteule qu'il avait sur le crâne après — m'a-t-il semblé — nous avoir détaillés. Pomme a dit : bon. Nous nous sommes répartis de part et d'autre de la 15 et nous avons poussé tous ensemble. J'ai cru qu'il y avait le frein à main ou que l'autre côté (j'étais à gauche, à l'arrière) était enlisé avant de comprendre que le type qui nous regardait nous éloigner, essayer, était extrêmement costaud et tout de suite après qu'il n'y a rien de plus rétif, odieux, inamovible qu'une voiture qui possède visiblement tout ce qu'il faut pour rouler mais à laquelle il manque le moteur. Je me suis arc-bouté pour que nous nous rapprochions de la ville que la pente légère nous masquait. J'ai entendu Alain grogner de l'autre côté et cette fois-ci, on a avancé. J'ai continué à peser de toutes mes forces. J'ai pensé que si c'était aussi difficile, que si ça continuait, on n'y arriverait pas. Du moins pas ce jour-là ni même le lendemain. J'ai failli le dire mais je ne l'ai pas fait parce qu'il aurait fallu parler alors que j'avais même arrêté de penser. Ça demandait un effort, de l'énergie, si peu que ce fût, et j'avais besoin de toutes mes forces pour que la Traction avance, centimètre par centimètre, sur la chaussée crissante.

On n'avait pas fait dix mètres que j'étais en nage. Pomme, devant, a dit d'une voix calme mais courte que c'était un faux plat. On a continué à progresser, à pousser haineusement cette auto qui n'en était pas une, l'apparence d'auto qu'on avait donnée à une tonne de ferraille. J'aurais voulu dire qu'on s'était fait rouler mais je n'ai rien fait que grogner, que pousser jusqu'à ce que je n'aie plus besoin de grogner. Pomme a déclaré qu'on allait souffler. Il s'est penché à l'intérieur et il a tiré le frein. Je me suis essuyé les yeux avec les épaules. Ça n'a servi à rien. Ma chemise était à tordre.

Nous surplombions la ville. Je l'ai trouvée minuscule

maintenant que nous étions à la frontière, sur les hauteurs dont elle était cernée de toutes parts sauf à l'ouest où la rivière s'acheminait vers la mer. A l'est, les toits miroitaient comme des éclats de verre. Il fallait un instant avant d'admettre que c'étaient des toits, puis la grande poste à côté du clocher, la place du théâtre dont les grands platanes faisaient à peu près l'effet d'un bouquet de persil, et, au-delà, le lycée, tel un jeu de construction pour enfants lilliputiens. Daniel devait penser la même chose car il a fait remarquer que ça n'était pas grand.

Pomme a dit qu'on pouvait s'installer. Les sièges étaient en bon état, les garnitures de tissu aussi, d'un gris compassé, et même la planche de bord sous laquelle était encastré un poste de radio. Pomme a tiré d'une poche de sa combinaison une grande feuille de plastique. Il l'a soigneusement appliquée sur son siège et il s'est installé au volant. Il s'est tourné vers moi. Son visage était cramoisi. Il souriait. Il a dit que le moteur, il l'avait déjà, au garage, pour rien et comme neuf. Et qu'avec la caisse, il allait pouvoir s'offrir une voiture complète, qui roule toute seule. J'ai déclaré que c'était à cet instant précis la seule chose qui manque à mon parfait contentement. Alain a dit, dans un souffle, qu'on ferait mieux d'y aller. Pomme a lâché le frein. D'abord, il ne s'est rien passé. Alain a eu le temps de dire que cette saloperie de voiture avant que nous ne la sentions s'émouvoir dans un silence contenu, solennel, puis prendre de la vitesse et nous nous sommes mis à bouger, à rire, à crier à tue-tête n'importe quoi. On s'est tous penché à gauche dans le premier virage, à droite dans le second. Le crissement menu du gravier s'était mué en un crépitement rapide, grisant. Cent mètres plus loin, la route se relevait brusquement. Pomme a dit que c'était le deuxième faux plat. Qu'il y en avait trois, en tout. On s'est penché en avant pour gagner de la vitesse, du terrain. Par-dessus l'épaule de Pomme, j'ai vu l'aiguille du compteur qui touchait presque soixante hésiter, descendre vers quarante, hésiter encore puis dégringoler vertigineusement jusqu'au zéro. Pomme a attendu le moment où nous repartions en arrière pour tirer le frein. Nos rires, nos cris étaient tombés comme l'aiguille du compteur. Daniel a parlé grossièrement. J'ai soufflé par la bouche et par le nez. A la fin, on est sorti en faisant claquer les portières. On s'est réparti comme avant. Pomme, penché à l'intérieur, a dit attention. J'ai réellement cru, ce coup-ci, que non seulement j'étais seul à pousser mais que les trois autres tiraient en sens contraire et que ce n'était pas la peine, que je n'y arriverais pas. Il s'en fallait d'un rien, d'un souffle que mes bras plient, que je lâche pied. Et pourtant, nous l'avons emporté sur la gravitation. La Traction a bougé du bon côté, comme à regret. On a gémi entre nos dents serrées, gagné un pas vers le ciel profond qui semblait commencer au sommet de la côte, un autre encore quand le premier paraissait devoir être le dernier dont on soit capable. Le troisième était moins terrible, le suivant presque aussi éprouvant que le premier et ainsi de suite, chacun s'accomplissant dans l'espace de l'épaisseur d'un cheveu compris entre, mettons, le premier ou le quatrième pas et l'imperceptible trait à partir duquel le mouvement se serait inversé. Il a même dû arriver que l'invisible index, aiguille, je ne sais pas, dépasse le trait. Mais peut-être qu'on y avait droit, une ou deux fois. Que la gravitation nous ferait grâce de la moitié d'un cheveu. Qu'elle avait à s'occuper de choses plus importantes, de cataractes, d'astres, de nébuleuses.

On aurait dit qu'il pleuvait sur la tôle noire qui me renvoyait mon image grimaçante, déformée, de larges gouttes orageuses. Je ne comptais plus. Je n'aurais pas pu dire quel pas c'était, le cent trente-septième ou le deux cent huitième quand l'index, la tremblotante aiguille que j'imaginais s'est écarté(e) de la limite, qu'on a disposé d'une marge confortable de deux ou trois cheveux. Ça aurait même pu mal tourner. Nous nous trouvions au sommet de la côte mais aussi fort au-delà de ce qui constituait ce qu'on aurait pu appeler rétrospectivement notre état habituel. Il consistait, si je comprenais bien, en toutes sortes d'égards particuliers à notre propre endroit, pour partie, et pour partie à celui des choses, gens, endroits auxquels nous avions toujours plus ou moins affaire. Par exemple à considérer qu'étant précieux, fragiles, importants, ils réclamaient des ménagements ou bien qu'à l'inverse nous ne trouverions aucun avantage à nous y frotter eu égard à leur caractère pesant, dangereux, ennuyeux, etc. Ou bien que nous étions vraiment trop fatigués, épuisés pour avoir la force de lever le petit doigt. Tout cela, je le comprenais. Mais c'est précisément parce que je le comprenais que je n'y étais pas, que je ne le faisais pas. Les autres non plus. Maintenant, c'est la Traction qui nous fuyait sans que nous cessions de pousser sur elle rageusement, de toutes nos forces, y compris de celles que nous ne savions pas dormir en nous jusqu'à ce qu'il prenne fantaisie à Pomme de se procurer séparément la caisse et le moteur de sa première auto et qu'il faille les rassembler. Il était le seul à participer de ce que je découvrais être (avoir été) notre état habituel. Il a poussé un cri rauque, dérisoire, sans qu'aucun de nous trois relâche sa pression sauvage, vengeresse. Je l'ai vu, dans une sorte de lenteur, se pencher, fourrager en

70

trébuchant dans la voiture qui commençait à nous échapper et je me suis aplati contre la carrosserie que j'avais lavée de ma sueur.

Je n'ai pas bougé. Chacun a gardé la posture où l'avait figé l'arrêt brutal de la Traction. Alain était couché de tout son long dans les hautes graminées de la banquette. Daniel, invisible, devait y être pareillement plongé. De Pomme, je ne voyais que le bas des jambes, en porte à faux, avec les espadrilles au bout. Je ruisselais paisiblement sur la tôle brûlante. Ne pas pousser, ne plus bouger étaient à cet instant tout ce que je souhaitais.

Il s'est écoulé du temps. J'avais retrouvé ma respiration mais pas encore le mouvement ni l'usage de la parole. Les toits, la ville en contrebas étaient comme une poignée de gravier. Pomme a bougé avec lenteur. Un de ses mollets s'est enfoncé dans la Traction. L'autre l'a suivi, après quoi sa tête et ses épaules ont émergé du siège. Du temps a passé, encore, avant que sa voix nous parvienne, affaiblie, laminée par l'effort violent qu'il avait fourni. Il a dit que si la batterie était bonne, il allait nous offrir un peu de musique. J'ai entendu tourner le bouton, le bruit plein qu'il fait quand il met en contact les lieux les plus perdus, les îles, les hautes latitudes ou seulement un bord de route avec la rumeur de la planète, puis le silence, mais plein, lui aussi, augural, et les quatre notes. Je dis les notes parce que la musique — et c'en était — peut toujours se ramener à des choses simples, à des notes. Je les avais reconnues toutes les quatre quand elles se sont détachées dans la paix souveraine du soir mais à cela s'arrêtait tout ce que j'en pouvais dire, tout ce qui rappelait ce que j'avais jamais appris, entendu, sous le nom de musique.

J'ai dit que je n'avais que le samedi après-midi pour lire

vraiment, c'est-à-dire pour oublier que je lisais des livres gris, glacés, couleur de pierre, et que ce soient les mondes éloignés ou révolus ou bien inexistants partout ailleurs qu'à l'intérieur du livre que je lisais qui finissent par exister exclusivement après avoir résorbé la grande salle silencieuse de la bibliothèque et l'heure mélancolique, l'après-midi blême de mars ou le mauve crépuscule d'octobre. C'est que le mardi, le jeudi et le vendredi, après les cours, je quittais derechef la maison pour l'école de musique et même, le vendredi, je n'avais pas le temps de rentrer. Si bien que de sept heures du matin à près de huit heures du soir, je devais traîner mon sac d'école, le dictionnaire de latin qui refusait d'y entrer, le carton à dessin, le sac de gymnastique et le grand cartable où je serrais les partitions et les cahiers d'exercice. Les premiers temps, du moins jusque vers treize ou quatorze ans que je me mette à grandir, à trouver que les adultes n'étaient pas si grands que ça, la journée du vendredi revenait régulièrement comme un interminable escarpement qu'il faudrait tout le jour pour gravir si, par extraordinaire, j'avais, je trouvais une fois encore la force, la morne obstination nécessaires. Je ne pensais plus qu'au vendredi suivant. Pas le vendredi d'avant vu que j'avais le nez sur l'escarpement et qu'il s'agissait purement et simplement d'avancer, de tenir jusqu'à ce qu'il soit huit heures du soir, ni le samedi après-midi que je lisais ni, aux beaux jours, le dimanche matin puisqu'alors nous étions dans l'arbre, au-dessus de l'eau. Mais dès le début du dimanche après-midi, dès que les cloches lointaines consacraient la fin de la matinée, je commençais à penser au vendredi. Là-dessus, j'avais eu treize ans et quatorze et mon triste fardeau s'était mis à peser moins. Mais j'ai encore songé à m'en défaire, parfois, à le confier à la rivière. J'imaginais la scène : le dictionnaire, les partitions, le cartable et les deux pièces de survêtement tombant du haut du pont dans le remous de l'arche centrale, se dispersant, s'enfonçant dans l'eau rouge, écumeuse, surgissant loin, déjà, en aval, épaves infimes, avant de sombrer irrévocablement. Peut-être que la musique (ce que j'étudiais, entendais sous ce nom) n'aurait pas représenté le suprême degré de la fatigue et de l'ennui si je ne l'avais pas entendue le vendredi à cinq heures et demie précises que j'arrivais du lycée hors d'haleine, pliant sous le barda, dans la grande salle sinistre où quelqu'un de sévère, d'impatient, nous donnait déjà le *la*.

Donc, les quatre notes se sont détachées dans l'air du soir. Elles sont revenues trois fois mais avec un accord différent sur la quatrième qui introduisait un déséquilibre, une attente délicieuse, exaltée, et la voix sauvage nous a pris au corps, décapés, délivrés de notre lassitude. Je ne comprenais pas grand-chose — c'était un anglais déformé, inintelligible — si ce n'est que Beethoven s'en retournait dans sa tombe. Vers le milieu, l'instrument bizarre qui avait préludé a lâché la voix pour zigzaguer, rebondir dans tous les sens. Il s'est enlevé à des hauteurs incroyables où il stridulait avec une sorte d'insolence allègre puis il est redescendu comme il était parti par sauts brusques, fusées imprévisibles, sauf pour le type qui l'attendait dans le ton. Car il y avait, je reconnaissais un ton, pour si étrange que cela fût. Ils sont repartis ensemble, la vibration aiguë, sidérale de l'instrument et la voix jubilante qui s'arrangeait pour la retrouver toujours quand elle croisait le ton. Le dernier accord m'a surpris oublieux, la bouche entrouverte. J'ai perçu encore le timbre inouï de l'instrument puis l'indicatif du journal de vingt heures et le sommaire — le dix-septième parallèle, ce qui se passait à Paris, etc. Pomme a tourné le bouton et la paix du soir, le délicat mélange d'oiseaux, d'insectes et de silence nous a enveloppés.

On est resté longtemps sans bouger. La chaleur tombait. La lumière était douce, fruitée. La ville, la poignée de sable et de mousse à nos pieds, bleuissait. Je cherchais un mot, s'il en existait, pour savoir, pour fixer le sentiment que la musique neuve, étourdissante, avait éveillé en nous, exalté au point qu'il n'y avait place pour rien d'autre. Pomme avait parlé le premier pour demander ce que c'était, la voix et Alain (sa voix, dans l'herbe) a dit de l'anglais. Enfin, de l'américain. Plus tard, j'ai voulu savoir, pour l'instrument et Daniel, derrière la voiture, a dit que c'était une guitare électrique. Alain devait chercher, comme moi. Il a dit, en hésitant : c'était, c'est. Et Pomme, de sa voix égale, encore atténuée par l'effort : c'est maintenant.

Quand on a fini par être tous debout, le bleu avait gagné la hauteur, noyé le fossé, imbibé le feuillage des arbres, rendu l'air plus dense, comme granité. On a embarqué. Pomme a lâché le frein. On a bien gagné quatre cents mètres avant que l'aiguille se rapproche avec lenteur du zéro. On n'avait pas l'impression que la route se relève. Pomme a attendu que la Traction soit complètement immobilisée avant de tirer le frein. Il a dit que c'était un faux plat, un vrai, celui-ci, pas du tout comme l'autre, le précédent, qui était digne d'être appelé une côte, une foutue côte, même. Il m'a semblé que jamais je n'aurais le courage de m'extirper de mon siège, jamais la force de pousser encore ces mille kilos de ferraille inerte, trompeuse. D'abord, personne n'a bougé quand Daniel a dit allons, pas même lui. J'aurais dormi. Finalement, c'est Alain qui est sorti le premier. Il était trop fatigué pour attendre encore. Il voulait rentrer. On l'a suivi dans la nuit naissante où le bleu tournait à l'ocre. Les oiseaux s'étaient tus mais il y avait à coup sûr tous les grillons.

Et ça a recommencé. Que ce fût un faux plat, je finissais par l'imaginer sur la foi du terrain, de l'esplanade herbeuse agrémentée d'arbres fruitiers, de potagers, de petites maisons où les lampes s'allumaient. Par instants, il me semblait même que la route descendait et qu'il n'y avait que l'obtuse carcasse de fonte et de tôle pour ne pas s'en apercevoir. Il y a aussi qu'il venait, le faux plat, après deux autres dont l'un était une côte et que c'est avec le peu qu'elle nous avait laissé d'énergie, de ressources, que nous nous opposions à la déclivité de la terre. Nous avons passé devant une bicoque complètement submergée par les lilas, avec un type devant sa porte. Quand nous avons été à sa hauteur, il a demandé si nous étions en panne d'essence. Nous n'avons pas répondu. Nous ne pouvions pas. Nous étions trop occupés à grogner. La contre-pente commençait presque aussitôt après, pour de bon. Pomme, d'un geste lent, somnambulique, a plongé à l'intérieur pour tirer le frein. Malgré la fraîcheur revenue, je ruisselais. Les yeux me cuisaient. On s'est embarqué avec la lenteur sirupeuse qu'on voit aux hommes, aux voitures et même aux explosions, aux catastrophes dans les films au ralenti. Le type, à quinze mètres de là, n'avait pas cessé de nous regarder. Sa figure faisait une tache claire dans la pénombre translucide. Daniel, un coude sur la portière, l'autre sur le toit, la figure crispée, tirée vers le bas comme s'il allait pleurer, a dit non, d'une voix sombre, ralentie, elle aussi. Non, en panne de moteur.

Ensuite, il suffisait de se laisser aller pour réunir la caisse et le moteur, au garage. Ce qu'on a fait.

V

Le dimanche, pas le suivant, celui d'après, l'avant-dernier du mois, était invariablement le jour de l'audition. Ceux, dont j'étais, qui étudiaient la musique, se produisaient entre dix heures du matin et midi passé dans le décor vieillot du théâtre devant un parterre de robes mirobolantes et de costumes trois-pièces où l'on finissait par reconnaître, épouvanté, la figure du proviseur, celles du conseiller général et du président de la chambre de commerce et d'industrie, celles encore, interchangeables, de femmes sans autre statut ou fonction que de mettre parmi les visages importants et les complets gris des taches vives, des ors, des feux et des bouffées de suaves parfums. Nos familles étaient admises, ce jour-là, et même, je suppose, quiconque éprouvait l'envie de nous écouter quoique alors je me sois demandé quel plaisir, intérêt, avantage,... on pouvait y trouver, sinon celui de nous rappeler, juste avant les grandes vacances et avec un lustre particulier, que le lycée, l'industrie et le commerce, la vie urbaine, policée et parfumée, continuaient. Qu'ils consti-tuaient le principe et le terme exclusif de tous nos agisse-ments quand il pouvait sembler que c'était fini. Qu'il n'y aurait plus que des heures oublieuses, apaisées, dans l'arbre penché sur la rivière, à perte de vue.

Il faisait, ce dimanche-là, invariablement beau, comme un matin de la fin de juin peut l'être. Je quittais la maison à neuf heures et demie, seul, ayant assez à faire de me tirer, pousser, traîner moi-même jusqu'au théâtre pour ne vouloir à aucun prix que quelqu'un de proche, de cher, dont on a le souci, m'accompagne. L'odeur de la terre, de l'herbe humide flottait dans les rues avant que celles du goudron surchauffé, de la pierre brûlante, des platanes ne la recouvrent progressivement. Il s'y ajoutait l'odeur, le goût — je ne sais pas — acidulé que l'air, la lumière avaient ce matin-là et qu'ils garderaient jusqu'à ce que mon tour soit venu, passé, après quoi je disposerais d'une année entière pour me préparer à l'éprouver encore. Ce pouvait être la septième ou la huitième fois mais, d'un certain point de vue, c'était toujours la première, la même, le même goût aigrelet, dans la bouche, la même sensation de froid aux doigts, la gêne diffuse des vêtements neufs que j'endossais pour la circonstance — les mêmes, aussi, me semblait-il, la chemise blanche, le pantalon de flanelle grise et la veste bleu marine qui constituaient l'inévitable appareil de l'inéluctable matinée, quoique j'imagine que maman ait veillé, chaque année ou presque, à leur renouvellement. Cette année-là, j'avais quand même troqué le nœud papillon à élastique contre une cravate noire en tricot sur l'extrémité de laquelle j'avais commencé à tirer bien avant d'avoir atteint le théâtre. J'avais continué jusqu'à ce que mon tour vienne, aux approches de midi. J'arrêtais quand je me rendais compte que je n'arrêtais pas de tripoter ce bout de tissu avec l'énergie que j'aurais employée à courir, à fuir, si j'avais pu. Après quoi, je recommençais.

Tout ce qui était important, gris anthracite, quinquagénaire, occupait les cinq ou six premiers rangs du parterre central. Les robes claires, les chapeaux des femmes en atténuaient à peine l'effet glaçant. Derrière étaient rangées des brochettes de familles anxieuses. Les exécutants s'asseyaient à droite, contre la haute paroi couverte d'un tissu à fronces magenta. Au bout de cinq minutes, dans la lumière pauvre, rougeâtre, le silence oppressant, on avait oublié. On ne pouvait plus concevoir qu'il y avait, dehors, le matin, les odeurs d'herbe, de feuilles neuves, d'eau (la rivière coulait à cent cinquante pas). A dix heures, la directrice de l'école de musique, toute de vert pomme ou de bleu cobalt vêtue gravissait l'estrade, proférait quelques mots aimables et l'audition commençait. On dévissait à fond le tabouret du piano, on abaissait les pupitres en bois rouge pour les mioches de sept ou huit ans qui joueraient les pièces faciles que nous avions exécutées sept ou huit ans plus tôt avec l'application maniaque de singes savants, la roideur de jouets en peluche mus par un ressort métallique. Ils dégringolaient du tabouret sous des applaudissements distingués. La directrice faisait une apparition bleu cobalt ou jaune paille et une autre gravure de mode quittait son fauteuil pour le tabouret qu'on revissait inexorablement.

C'était le seul moment qui me rapproche un peu de ceux en compagnie desquels j'avais appris les clés de *sol*, de *fa*, d'*ut* première et d'*ut* quatrième. Nous partagions pour deux heures quelque chose qui avait l'évidence immédiate de l'eau froide (laquelle continuait de nous unir et de nous réunir, Pomme, Alain, Daniel et moi, si différents qu'à d'autres égards nous ayons pu être ou devenir), le vertige glacé montant au fur et à mesure que les gosses en peluche se succédaient, que le pas de vis brillant du tabouret disparaissait dans son logement. Le seul moment de l'année où l'envie de parler, le besoin d'une confidence, d'une présence nous empoignaient parce que nous étions confrontés, comme au bord de la rivière, à ce qui — crainte, espérance, mystère — nous disait, criait, que nous vivions, étions au monde et que ce n'était pas tout à fait comme si ce n'avait pas été le cas. A ma gauche, les mains sur les genoux, si parfaitement silencieuse, immobile, qu'elle aurait pu être évanouie ou morte ou être un mannequin de cire en robe prune à col blanc, il y avait une fille à cheveux noirs. Je la connaissais depuis huit ans, peut-être même neuf (on faisait une année d'initiation avec des xylophones et des tambourins avant de se frotter aux instruments à cordes et aux pianos) sans que nous ayons échangé un seul mot, si ce n'est aux auditions, vu qu'elle ne pêchait pas et que je ne devais pas, de mon côté, sacrifier à rien de ce qui, elle, la touchait et l'exaltait, à supposer que rien d'autre que les changeantes saisons sur une rive incertaine puisse le faire vraiment, nous arracher à nous-mêmes aux mornes lenteurs, au temps. A droite, une autre fille, mais pareille à du lait sur le feu, penchait par instants ses cheveux roux, bouclés, pour souffler dans ses mains rassemblées. Devant, les oreilles exsangues, bien détachées, d'un clarinettiste, un gars de seconde que je croisais au lycée, paraissaient vibrer.

La fille, à droite, le buisson ardent, s'est rejetée dans son fauteuil en disant dans un frémissement, un souffle, qu'elle ne pourrait pas, qu'elle avait les doigts gelés. J'ai répondu, en bougeant les lèvres, sans tourner la tête, que c'était, pour moi, exactement pareil. Non seulement cette fois-ci mais celles d'avant, toutes, quand j'étais comme ça. Et du menton, j'ai désigné la gamine avec des fanfreluches, sur le tabouret, dont les escarpins vernis ne touchaient même pas les pédales. De toute façon, elle exécutait comme un automate un truc de Schumann que j'avais joué quand j'avais son âge et il n'y avait pas besoin de mettre la pédale. De temps à autre, le clarinettiste, devant, chauvissait des oreilles, la tête penchée. Il devait répéter en silence son morceau. Ceux qui jouaient d'un instrument à vent le gardaient avec eux en attendant que leur tour vienne de monter sur scène. J'ai dit, rien qu'en articulant, dans le fond de mon fauteuil, j'ai dit à la fille rousse que pas l'année d'avant, l'autre, il avait fini par tirer involontairement un son de son engin — un couac lugubre — pendant qu'une gamine raclait son violon, que la gamine s'était mise à pleurer et qu'on n'avait pas réussi à lui faire reprendre, à la consoler. Et juste à ce moment, la clarinette a émis une plainte voilée, mélancolique. J'ai vu dans la lumière rougeâtre les oreilles du gars, de diaphanes qu'elles étaient, virer au pourpre pendant que le silence, tout autour, changeait, devenait plus lourd, réprobateur. Il y a même eu un court instant, au bord du rideau, l'éclair bleu de la directrice, comme un martin-pêcheur, puis le silence a retrouvé son assiette, à la fois distant et recueilli, officiel. Je me suis surpris à sourire avant de retrouver le goût acidulé de l'air, le halo glacé.

Le filetage brillant du tabouret avait presque disparu quand la directrice a annoncé ma voisine de droite. Je l'ai sentie frémir dans son fauteuil. Quand je me suis rencogné pour la laisser passer, elle m'a jeté un regard vide puis elle a gagné l'estrade. Elle s'est assise au piano, les mains sur la bouche. Ses cheveux flamboyaient sous la lumière tombée des cintres. Elle a plaqué le premier accord comme si elle se jetait dans un milieu dangereux, brûlant ou glacé (ou toxique ou hérissé de clous, de crocs, de tessons). Elle a joué tout le reste à l'avenant, pétrifiée, comme dans l'attente de la morsure des crocs, des vapeurs corrosives, jusqu'à ce que ce soit le piano qui semble avoir produit le dernier accord tant elle avait promptement repris, retiré ses mains de l'espace redoutable qu'il nous fallait traverser. Quand elle est revenue s'asseoir, je lui ai dit, tout bas, que c'était bien. Elle n'avait pas accroché une seule fois. Mais elle n'a même pas tourné la tête ni marqué qu'elle m'avait entendu. Elle était au-delà de l'épreuve, rendue à elle-même, à sa vie propre et j'ai continué à rouler et dérouler ma cravate pendant que le clarinettiste qui avait eu toute la matinée pour répéter en silence (ou presque) tirait de son instrument une espèce de long ruban nostalgique.

Ma voisine de gauche est sortie à son tour de sa léthargie. Il devait être un peu plus de midi. Le silence s'altérait, un peu moins recueilli, parcouru de murmures, surtout dans le parterre central. Il y avait même eu, à deux reprises, un vague mouvement, une rumeur étouffée dans le fond de la salle mais j'étais si bien séparé de tout par mon halo que ce n'est qu'après, lorsque mon tour fut venu, que je me suis souvenu d'avoir enregistré une rumeur légère, un mouvement éloigné, dans mon dos. J'ai lâché ma cravate mais elle se rebroussait, en bas, comme un hameçon. Presque tout le monde avait passé. L'emplacement que nous occupions frémissait de chuchotements, de remuements menus.

J'ai entendu mon nom. C'était, dans la travée, comme si j'avais en quelque sorte accompagné quelqu'un ou quelque chose qui était (qu'on pouvait considérer, du dehors, comme étant) moi sans toutefois l'être au point que je ne puisse, si je l'avais vraiment voulu, m'en détacher, le laisser poursuivre seul sa route dans son halo. Je ne l'ai pas fait parce qu'on m'avait appris que c'était précisément le genre de circonstance où il convenait d'être dedans, tout entier, quoi qu'il en coûte, et sans doute d'autant plus qu'il en coûtait. Je me suis donc vu gravir les trois marches de l'estrade en même temps que je les gravissais. Sur scène, les feux verticaux des cintres dressaient une herse aux raies alternativement brillantes, opaques, et sombres à travers lesquelles j'ai deviné la salle, les visages importants, les calvities, les ors et les feux des femmes et surpris plus que je l'ai vu le trait de blanc pur, une fraction de seconde sinueux, puis aussitôt droit comme s'il ne s'était jamais infléchi, convulsé, dans un trou d'ombre ouvert au-delà des lueurs et des parfums. J'ai pensé, sans cesser de marcher, de m'accompagner en train de marcher, que c'était le ventre d'un poisson gigantesque puis que j'avais des pensées saugrenues. Et ensuite que c'était mon tour et que je ne pourrais pas, même si je n'étais plus un mioche à ressort. Même si j'avais dix-sept ans. J'avais trop peur, trop froid.

Le tabouret était chaud et le piano — j'oubliais, d'une année sur l'autre — comme un cheval. Exactement comme un vieux cheval fourbu montrant ses longues dents jaunies, dures, alors que celles du piano qu'il y avait à la maison s'enfonçaient toutes seules comme des animaux craintifs, des souris mélodieuses. La première fois que j'avais joué ici, au théâtre, porté une tremblante main dans la vaste dentition, il ne s'était rien passé. La touche n'avait pas bronché, bougé. J'avais jeté un regard éperdu vers la salle et finalement dans le décor où la directrice se cachait entre deux souriantes apparitions. Il y avait sur son visage un désespoir égal au mien. Elle me faisait de la main le geste de descendre énergiquement, ce qui n'avait pas peu ajouté à mon trouble. J'avais fini par comprendre qu'il ne s'agissait pas de regagner ma place mais de frapper comme s'il s'était agi d'un cheval et non plus des souris familières pour que le cheval se comporte comme un piano. J'avais alors cogné, n'importe où, dans les dents formidables. Il en était sorti une note et j'avais expédié, un peu rasséréné, mon numéro. Mais c'était avant et il m'est revenu que maintenant, c'était différent. C'était maintenant.

Je n'avais presque plus la sensation de mes doigts — des extrémités lointaines, grossières, à peine innervées, comme des sabots. J'avais commencé alors qu'il me semblait que c'était toujours l'instant d'avant et l'envie d'arrêter m'a pris au moment où je me faisais à l'idée que j'avais commencé, que mes mains tombaient sur le clavier avec la brutalité qu'on mettrait à cogner une tête de cheval s'il advenait qu'on eût maille à partir avec un cheval. J'en avais assez d'entendre les mêmes notes, le morne travail mécanique que la sonate de Beethoven avait fini par devenir après trois mois. Il me semblait que les autres aussi ne pouvaient plus le supporter. Que si je me levais, arrêtais, ils m'en seraient reconnaissants. Que le rite barbare qui les vouait chaque année, eux à nous écouter et nous à trembler, à douter de pouvoir dans le froid contre nature et la lumière rougeâtre de l'avant-dernier dimanche de juin, que ce double et vain sacrifice apparaîtrait aux yeux de tous dans sa cruelle inanité si quelqu'un, quel qu'il fût, arrêtait. Il y avait un accord et puis une double barre qui permettait de s'attarder sans trop d'égards à la valeur des notes, des noires. J'ai pris la liberté de bouger la tête pendant que l'accord commençait à s'affaiblir, à s'éloigner. J'ai levé les yeux vers la directrice coincée entre deux panneaux de contre-plaqué représentant, de face, des prairies en fleurs, des arbres en boule et d'invraisemblables oiseaux. J'ai soutenu son regard qui n'avait pas cessé de peser sur moi avant de tourner délibérément les yeux vers la vaste flaque d'ombre, au fond de la salle, où j'avais cru discerner, dans mon trouble, le ventre blanc, saugrenu, d'un poisson géant. Il était exactement à la même place mais un peu plus haut, comme si Daniel ou Pomme (parce que les taches plus claires, indistinctes, dans les profondeurs, c'étaient eux) l'avait brandi à bout de bras pour que je puisse m'assurer de sa taille incroyable, ce que j'ai fait peu à peu.

L'accord résonnait toujours, à la façon du tonnerre qu'on finit par surprendre quand le ciel a cillé au bord de l'horizon mais qu'on avait cessé de compter, d'espérer l'entendre. Je sentais papillonner sur ma figure, sur mon côté gauche, le regard de la directrice. Je m'efforçais, malgré la distance, la pénombre, d'évaluer la longueur du fuseau blanc — quatre-vingts centimètres, peut-être plus — tandis que mes mains, que les moignons gourds, onglés, insensibles dont j'étais pourvu bataillaient isolément. Je ne me souviens pas d'avoir accroché mais j'ai dû le faire, au moins deux fois, ni d'avoir quitté l'estrade, remonté la travée, ni de m'être enfoncé dans la pénombre poussiéreuse au lieu de regagner ma place entre la fille rousse et la fille léthargique aux cheveux noirs. Ils étaient debout contre le mur du fond, avec leur fourbi, leurs visages émerveillés et le poisson qu'une lente convulsion a secoué entre les bras de Pomme.

On s'est retrouvé dehors, sur l'esplanade éclaboussée de lumière, déjà écrasée de chaleur, eux muets, glorieux, apaisés, moi doublement incrédule d'avoir une fois encore passé, franchi l'intermède glacé, rougeâtre, au-delà duquel la belle saison tout entière nous appartenait, et de voir dans l'air, en proie aux dernières affres de l'asphyxie, le barbeau géant que Daniel et Pomme avaient arraché à la rivière. Ils me l'ont raconté en même temps, leurs deux points de vue alternant, se chevauchant, donnant sa parfaite dimension au combat farouche, incertain jusqu'au bout, qu'ils avaient livré.

On a quand même attendu qu'il soit dix heures, le dimanche suivant, avant d'admettre que ce qui était non pas seulement prévisible mais aussi sûr que s'il avait été midi quand il n'en était que huit, l'était effectivement : à savoir que nous ne verrions rien, ne prendrions rien. Chaque fois que tombait ce qu'on appelait la manne ou la mouche de mai et qui n'était à la vérité ni l'une ni l'autre, mais une quelconque variété d'éphémères apparaissant, certaines années, dans la deuxième quinzaine de juin, par vols compacts au déclin du jour, les poissons semblaient pris de folie. La rivière bouillonnait. Ça durait toute la nuit et pendant une partie de la matinée que l'eau charriait de grands voiles clairs d'insectes morts. A midi, il ne subsistait plus, contre les rives, qu'un étroit liséré blanchâtre et dix jours durant, on ne prenait plus rien, on ne voyait même plus les poissons. Ils devaient reposer, gavés, dans la pénombre des fonds.

Lorsque l'éclosion se produisait, il y avait toujours des insectes isolés pour s'abattre en pleine ville. Ils confondaient peut-être l'asphalte des rues avec la sombre coulée de l'eau sous le soir. On voyait alors tous les hommes valides déserter leur poste, les commerçants quitter leur boutique, les promeneurs et même l'agent du carrefour se baisser, fureter jusqu'au milieu de la chaussée, parmi les voitures, pour recueillir délicatement la manne et la glisser dans tout ce qui pouvait faire office de récipient, boîtes d'allumettes, étuis à lunettes ou même, si elles y consentaient, dans le sac à main de leurs femmes, en prévision de la matinée du lendemain. Cette fois-ci, l'éclosion s'était faite alors que l'obscurité était déjà tombée. Il n'y avait plus de promeneurs, plus d'agent au carrefour et c'était une chance que Pomme soit resté tard au garage à rechemiser des cylindres même si, d'un autre côté, le patron ne lui payait pas ces heures au tarif d'heures supplémentaires, même s'il oubliait qu'il avait fait des heures supplémentaires. Sinon Pomme n'aurait pas surpris le flocon du premier insecte dans le cône de lumière orangée d'un lampadaire et ensuite, son attention ayant été alertée, aiguisée, ceux, pareils à des pétales de fleurs, qui virevoltaient fiévreusement sur le goudron chaud. Il s'était mis à courir malgré la fatigue, ses reins douloureux, la chaleur suffocante, encore, que les murs restituaient. Il était arrivé à point nommé chez Daniel, où ça n'allait pas très bien. Daniel a hoché la tête mais il n'a rien dit et Pomme a repris. Ils avaient récupéré tout ce qu'ils avaient trouvé, des étuis en carton, des boîtes métalliques ayant contenu des boules de gomme, du café soluble, des bocaux en verre à couvercle en fer, fourré le tout dans un cabas et repris au pas de course le chemin du boulevard où se concentrait cette partie du vol qui avait confondu la surface lisse et sombre de la chaussée avec la rivière. Là, ils avaient rempli d'insectes leurs bocaux et leurs étuis. Ça leur avait pris jusqu'à près de minuit. Les éphémères avaient l'air de savoir qu'ils l'étaient, qu'ils disposaient en tout et pour tout de la nuit brève du solstice pour vivre et se survivre et tout serait dit, accompli. Alors, ils s'agitaient furieusement, glissaient dans l'ombre des caniveaux, s'enlevaient dans la nuit tiède, entre les cônes de lumière, pour retomber dix mètres plus loin, fascinés par l'éclat humide du goudron.

Il faisait juste clair quand Pomme avait pris Daniel au passage, quelques heures plus tard. Le ciel était gris et avec lui les maisons, les jardins immobiles, les arbres qui paraissaient dormir debout, sur une patte, comme de grands échassiers. La couleur s'était mise à sourdre au moment précis où ils débouchaient du roncier — au ciel et au fond de l'eau, d'abord, puis, de proche en proche, jusqu'à l'aulne, jusqu'à l'étroite levée de terre, avec eux dessus, où l'eau et le ciel se rejoignaient. Ce n'était pas comme la première fois, quand nous avions découvert l'arbre ni l'autre, près de deux ans plus tôt, que nous avions dépeuplé la rivière. Ce serait un jour mémorable. Ils n'en avaient pas l'obscur pressentiment ou seulement la dérisoire et farouche volonté, l'espoir enfantin qui nous avaient accompagnés chaque fois jusqu'à l'arbre, jusqu'à ce qu'il soit midi et que nous finissions par reconnaître qu'il s'agissait d'une matinée comme les autres. Par considérer même que c'était encore une grâce singulière vu qu'au lieu d'espérer, d'attendre, de moins en moins, perchés sur notre branche, il aurait pu tout aussi bien arriver, se faire que nous soyons retenus loin de l'eau, que Pomme ait à faire au garage ou moi des devoirs à la maison, que ce soit l'hiver... Non, ils le savaient. Ils tenaient tous les fils. Ils étaient là. Il était tôt. Ils avaient, dans leur boîte de café soluble, les insectes aux ailes de gaze et la journée serait radieuse. La rivière était bleu ciel sous le ciel couleur de soufre.

Ils s'étaient hissés jusqu'à la troisième branche, calmement (Daniel. Pomme était toujours calme). Pomme avait lancé l'insecte sur le bleu profond de la rivière, presque à leurs pieds, d'une blancheur intense pour autant qu'il soit resté assez longtemps sur l'eau pour leur donner l'impression du blanc. Il n'y avait déjà plus que le bleu de la rivière et le fil, tendu à se rompre, émettait un sifflement ténu, légèrement modulé.

Quand il s'est passé autre chose, il pouvait être huit heures du matin. La surface charriait des globules de feu et les arbres étaient pleins d'oiseaux. Ils voyaient mal, suffisamment quand même pour deviner l'ombre verdâtre, immense, qui s'est dessinée à travers la coulée de braise en quoi l'eau se muait, vers huit heures, aux jours longs. Ils avaient beau savoir, être calmes, ils s'étaient quand même mis à pousser des cris inarticulés, à hurler mince, purée, putain — même Pomme, a dit Daniel. Pomme a confirmé d'un battement mesuré de paupières. Après quoi le poisson géant s'était enfoncé dans la pénombre et ils n'avaient plus vu que leur reflet, le fil tendu, chantonnant qui reliait, en quelque sorte, Pomme à lui-même au-delà du miroir de l'eau. De temps à autre, ils pensaient à nous (Alain et moi) avec une telle force, un tel regret que ce qui était en train de se passer leur semblait presque triste, normal. L'eau avait pris insensiblement la nuance du ciel, translucide et dorée, et le ciel celle de l'eau, bleu ciel.

Il devait être cinq heures et demie du matin lorsque tout avait commencé et rien n'indiquait nulle part qu'ils n'étaient pas promis à rester indéfiniment opposés à eux-mêmes. Daniel a dit que c'est juste après que Pomme eut envisagé ce face-à-face sans issue, puisque les deux parties, leur reflet et eux-mêmes étaient, chacune à leur manière, pareillement déterminées, que l'ombre brune du poisson s'était détachée de l'ombre brune du fond en donnant, cette fois-ci, des signes d'impatience. Le poisson secouait la tête avec lenteur, comme tout ce qui est immense et dont la masse, pour entrer en mouvement, réclame une quantité adéquate de temps. Chaque secousse arrachait au moulinet que Pomme avait réglé dès le début une plainte aiguë, indignée. Si le poisson avait usé de sa seule inertie, l'affaire aurait été conclue tout de suite. Mais il employait une partie de ses forces à se maintenir contre le courant, une autre à neutraliser la traction vers le haut que Pomme exerçait sur lui et c'est avec le reste — qui suffisait largement — qu'il s'agitait. Il était peut-être bien dix heures lorsqu'il avait crevé la surface, avec la queue. A ce moment-là, il leur avait paru tirer sur le jaune dans l'écla- boussement où il était resté, parmi les geysers, les rides, les fronces argentées qu'il fabriquait. Le soleil commençait à cuire à travers les interstices du feuillage. C'est vers onze heures que Pomme avait fini par le noyer, par lui faire avaler de l'air. Pas beaucoup, d'abord, seulement comme un type qu'on oblige à boire un plein verre d'eau quand il vient de courir et qu'il est hors d'haleine. Puis une deuxième rasade et une autre tout de suite après et le poisson avait montré son flanc, doré, comme un éclair prolongé dans le ciel splendide que l'eau reflétait exactement. Il y avait eu quelques inter- mèdes brun, vert, jaune encore avant que Pomme ne parvienne à faire réapparaître le miroitement doré, à le fixer à fleur d'eau. Daniel avait alors quitté l'arbre et s'était dépouillé de tout ce qu'il avait sur le dos. Il avait fait quelques pas vers l'aval en se rasant dans la végétation riveraine. Il s'était immergé sans un bruit, sans une ride et il était apparu derrière le poisson au moment où Pomme se demandait s'il ne lui avait pas pris fantaisie de les lâcher tous les deux, le poisson et lui, pour redescendre vers la mer.

L'eau lui venait à la poitrine. Toute cette part de lui qu'il y avait au-dessous semblait difforme, d'une pâleur bleuâtre. Daniel a dit qu'il avait mis longtemps à repérer les ouïes dans l'éblouissante lueur. La longueur aussi le troublait. Quand il levait les yeux, qu'il cherchait à retrouver la rivière, c'était encore le poisson et les ouïes, l'intermittente éclipse dans la lueur. Il avait eu l'impression d'empoigner un type endormi, gluant et glacé, haut de trois ou quatre mètres — s'il s'était redressé — et qui aurait agité son bras ou seulement le biceps monstrueux de son bras monstrueux pour se débarrasser de lui. Daniel, aussi, était gêné parce qu'il n'avait rien sur lui, que de l'eau. Il se laissait secouer par la pesante, l'invincible contraction musculaire en criant putain, putain, putain — c'est Pomme qui l'a dit : Alain ne savait pas, ne se souvenait plus —, reculant pas à pas sous la poussée du courant, cramponné au barbeau, sourd aux cris de Pomme. Il avait fallu que Pomme descende, agite les bras sur la berge, crie plus fort pour que Daniel entreprenne de se rapprocher de lui en oblique jusqu'à ce que Pomme, dans l'eau jusqu'aux genoux, réussisse à attraper le barbeau à la racine de la nageoire caudale. Ils l'avaient alors hissé sur la berge puis, courant et glissant, traîné dans l'herbe où ils s'étaient jetés sur ¹ui pour lui interdire de retourner jamais à la rivière. Ils étaient restés couchés un bon moment sur ce muscle froid agité de soubresauts, riant, claquant des dents (Daniel) et jurant chaque fois qu'il leur revenait qu'ils l'avaient pris, qu'ils étaient couchés dessus et surtout que nous allions, Alain et moi, le voir, le toucher à notre tour, nous qui n'étions pas là, qui ne savions pas.

Ils s'étaient soulevés avec les plus grandes précautions. Daniel avait retiré ses mains des ouïes. Elles étaient encroûtées de sang jusqu'au poignet. Le poisson avait pris une teinte gris bleu. Il leur a semblé soudain terni, informe, là, sur la terre, dans l'herbe écrasée, comme tous les poissons que nous avions arrachés à la rivière, du moins ce que nous appelions des poissons après qu'ils avaient été des jeux indécis d'ombres aux changeantes couleurs puis l'éclat de lumière qui jaillissait à notre rencontre à travers les feuilles. Seulement, c'était beaucoup plus fort, triste qu'auparavant parce qu'il était beaucoup plus grand, gros, que tous ceux qui s'étaient métamorphosés, avaient noirci, dans l'air, entre nos doigts. Daniel avait sauté dans ses vêtements épars en commençant par l'aval puis rassemblé leur matériel pendant que Pomme surveillait le barbeau. Ensuite, ils s'étaient mis à courir. Pomme tenait le poisson comme un enfant malade qui s'agite et se convulse dans son sommeil. Ils avaient débouché dans l'avenue de Paris, un peu plus haut que le pont, au trot allongé, en plein milieu de la lente foule des fins de matinée de dimanche, encombrée de journaux sportifs, de fleurs et de paquets de gâteaux.

Ils riaient, disaient mince, punaise, imaginaient la tête d'Alain et la mienne, surtout la mienne. Il n'y avait personne, dans le hall du théâtre, ni à l'entrée de la salle. Ils ne voyaient rien : un grand trou noir et le gars avec sa flûte, au bout. J'ai dit, la première fois, quand on a été tous les trois dehors, sur l'esplanade, qu'il n'y avait pas de flûte mais Daniel tenait ses mains ouvertes contre sa tête et j'ai dit : ah oui, la clarinette. Et Pomme : oui. Et après, la robe violette et le col blanc et après, toi (moi). Juste avant, un type, un quinquagénaire s'était retourné pour leur dire de faire doucement. Il s'était mis à bredouiller quand il avait vu le grand poisson se tordre dans les bras de Pomme. Ils s'étaient alors déplacés un peu —

ce que j'avais perçu sans toutefois l'enregistrer immédiatement —, cherchant dans la demi-obscurité rougeâtre, poussiéreuse, une tête qui ressemble, de derrière, à la mienne.
Ensuite, ils m'avaient vu quitter ma place et gagner l'estrade
comme si, a dit Pomme, ce n'avait pas été moi qui marchais.
Enfin, comme si je n'avais pas été à l'intérieur du gars en
marche qu'ils considéraient comme étant, devant être moi.
Pomme avait brandi le poisson à bout de bras jusqu'à ce que
l'éclat de nacre de son ventre m'atteigne et que je les
reconnaisse, au loin, triomphants, radieux, avec le barbeau
géant.

VI

Il me semble que c'est à compter de cette année-là que les vacances ont perdu le goût d'éternité qu'elles avaient depuis qu'il y avait, pour nous, des vacances. On rentrait en septembre et non plus, comme avant, en octobre. Mais peut-être que trois mois ou deux n'étaient pas, ne représentaient plus une sorte d'éternité, la totalité de ce qui existait, se passait, arrivait, à l'exclusion de certains lieux (le lycée), de certains jours, le vendredi surtout, dont le retour ne serait pas vraiment un retour mais la première fois, la révélation intacte, accablante de la fatigue, de la fadeur, des soins tristes et dévorants et qu'ils sont aussi notre partage. Peut-être aussi qu'après dix-sept ans ou dix-huit, nous commencions à prendre l'habitude, à soupçonner l'existence d'un certain ordre, d'une constance dont nous étions et nous savions partie prenante avec des retours prévisibles, des souvenirs, de sombres présomptions.

Nous avons réussi à faire en sorte que tout ce qui était de nature à nous empêcher de nous retrouver au même endroit au même moment — dans l'arbre, le dimanche, vers neuf heures — n'ait pas tout à fait sujet à le vouloir inexorablement ou du moins à y parvenir. Je suis arrivé le premier, avant Alain. Daniel et Pomme sont sortis du roncier quand nous commencions à déballer notre matériel. A y bien regarder, le ciel était clair ou plutôt pâli, comme une grande pièce de toile qu'on va bientôt changer. L'aulne se piquait de rouille. L'eau fermentait, lourde et trouble, tel un sirop. Des écharpes de feuilles se dénouaient lentement à sa surface et nous gênaient. Nous avons eu besoin de toute la science profonde que nous avions mis dix ans à acquérir pour que ce soit simplement un matin ordinaire où nous aurions espéré, douté, désespéré avant que l'espoir renaisse à l'instant où tout semblait perdu. Nous avons examiné curieusement les premiers poissons que nous avons tirés jusqu'à nous, l'apparence d'herbes, de feuilles mortes qui se mettaient à étinceler dans l'air atone comme s'ils avaient dû, eux aussi, changer avec le ciel et l'eau, n'être plus les mêmes, des êtres mal sûrs, magiques, noircissant entre nos mains. Quand nous avons entendu les cloches, c'était une matinée comme les autres : elle comportait, comme tout segment de la durée, un commencement situé à la distance précise où les commencements se tiennent lorsque c'est la fin. On discernait des moments intermédiaires : celui du désespoir qui nous avait arraché des mots de dépit, celui de l'attente, des suppositions nouvelles que nous avions échangées, des cris féroces ensuite, bref la somme des événements susceptibles de remplir trois heures consécutives sans pour autant nous convaincre qu'elles nous avaient été effectivement concédées, que nous avions, nous aussi, bénéficié du matin. Nous nous sommes réparti les poissons ou ce qu'ils devenaient après avoir séjourné quelque temps de ce côté-ci de la surface et nous nous sommes séparés comme nous avions l'habitude de le faire (si nous nous sommes jamais habitués à ce que ce soit la fin, à quitter la rivière) sans savoir que c'était la dernière fois que nous étions tous les quatre réunis au bord de l'eau.

Alain est parti pour Limoges où il ferait, comme il disait, son droit. Je suis entré en terminale et Daniel en seconde quoique, pour ce qui le concernait, ce genre de distinction fût depuis quelque temps quantité négligeable. Pomme vidangeait l'huile usée et remplaçait des charbons et des amortisseurs.

J'ai découvert très vite qu'il y avait à prendre et à laisser dans ce qu'Alain me disait de ce que je serais ou ferais quand j'aurais passé en première, lorsque j'étais en seconde, puis en terminale, l'année de première. Je ne portais ni blazer ni cravate. Je n'en éprouvais pas le besoin, non plus que celui de fumer des cigarettes américaines ou de ne pas rire haut et fort, jusqu'aux larmes, lorsque l'un d'entre nous, un élève de première puis de terminale, disait n'importe quoi et que c'était très drôle. En revanche, les échappées menues ouvertes depuis toujours dans l'espèce de corridor peint en gris qui menait du dimanche après-midi au samedi suivant, vers une heure et demie, avaient disparu d'un seul coup. Le premier samedi après la rentrée, j'étais revenu à la bibliothèque. Aux vitres à plomb, c'était la même toile passée et dans la grande salle tiède, encore, l'odeur tenace, le goût âcre des terres lointaines et des âges révolus. J'avais repris où je l'avais laissé, en juin, le voyage de Heemskerk au Spitzberg avec Barenz et Ryp. J'avais relu le passage où les matelots disputent la baleine qu'ils viennent de tuer à la scie de mer et continué jusqu'à ce que le soir précoce me surprenne au bord de l'océan glacé. Mais le temps m'avait manqué, le lendemain et les jours suivants, pour comprendre ce que les premières pages du nouveau livre de philosophie que nous avions touché signifiaient exactement et qu'on nous avait demandé de mettre au clair.

De sorte que le samedi suivant, je suis resté à la maison avec les nouvelles pages qu'il s'agissait d'élucider. Au rebours de tous les livres que j'avais lus jusqu'alors, celui-ci ne représentait ni de vastes horizons ni des choses ténues mais précises, colorées, dont les détails faisaient le prix, comme les insectes, les pierres ou les poissons. Il me renvoyait sans cesse à quelque chose au regard de quoi il y avait l'océan, l'eau, les arbres, lui-même le livre mais qui (le quelque chose) se dissipait dès que je tentais de me le représenter sans les insectes et les poissons. A plusieurs reprises, j'avais refermé le livre pour le considérer du dehors, soupçonnant quelque maléfice qu'on aurait déposé en lui, jusqu'au lundi suivant, en classe, que je finisse par commencer à comprendre que ce dont il retournait — la conscience, moi, mais aussi bien n'importe lequel des trente-six gaillards assis à mes côtés — se réduisait au bout du compte à rien, hors ce glissement vers l'eau, les arbres, etc. Je pensais, j'espérais qu'après cette peine qu'on nous avait demandée et le trouble qui s'ensuivait, je pourrais revenir à la bibliothèque et même, un peu, à la rivière. Parce que tout usé, délavé qu'il était, le ciel n'avait pas changé et l'eau, par conséquent, non plus. J'imaginais assez nettement la nuance particulière qu'elle avait prise. Je prévoyais même ses jeux changeants, les artifices que nous aurions à éventer pour faire d'une matinée quelconque un jour faste, d'abondance et de triomphe, dont nous parlerions plus tard avec des mince et des ouais nostalgiques.

Seulement, il y avait de vrai dans ce qu'Alain m'avait dit

lorsque j'étais en première qu'on avait trop à faire, en terminale, pour faire rien d'autre. Je m'en suis rendu compte lorsque je suis revenu à la bibliothèque. Le samedi d'avant — ce que je persistais à considérer comme un samedi digne de ce nom, avec un après-midi flottant où des vies entières, des îles, des ères trouvaient à se loger — ne formait déjà plus qu'une image évanescente à un mois de là. Et je ne venais pas renouer avec les épreuves suspendues des explorateurs de la Nouvelle-Zemble mais consulter un livre difficile qui me renverrait par des chemins compliqués à moi-même ou du moins à ce qu'il en restait quand je considérais isolément le fait. Il a fallu que le bibliothécaire m'aide à le trouver, sur un rayon perdu de l'arrière-salle, à quatre mètres du sol. Il était vêtu de veau brunâtre aux ors éteints, d'une roideur qui obligeait à tirer continuellement sur les plats de couverture pour le tenir ouvert. J'avais l'habitude. Les aventures en Nouvelle-Zemble, le voyage de Thévenot à Constantinople, ceux de Cook autour du monde se présentaient sous le même appareil rigide de peau lassée. Mais je n'avais pas atteint la troisième page que je n'y pensais même plus. Et quand le soir avait fini de tomber, que le bibliothécaire refermait ses boîtes, il m'arrivait de considérer, effaré, le livre à l'apparence de bout de bois ou de bête morte que je tenais tant les mers du Sud ou Constantinople avaient fini par devenir proches, immenses, avec leurs frégates et leurs mendiants. Tandis que celui-ci, non seulement il fallait le fendre comme une bûche et le tenir ouvert mais l'effort requis débouchait sur un nouvel effort, plus rude encore — celui de comprendre — que je ne pouvais soutenir bien longtemps. Je levais le nez dès que j'avais atteint le bas de la page. Je soufflais, les joues gonflées, en regardant sans aménité le papier roussi dans le cuir racorni. Je me demandais quelle heure il pouvait être car il n'était pas jusqu'aux rapports changeants du temps avec les choses et avec le temps qui ne se soient inversés. Au lieu que l'après-midi d'un samedi s'étire au point d'englober des calmes plats, des déserts, des hivernages, dix pages l'absorbaient tout entier sans que j'aie de surcroît oublié à aucun moment que je lisais et que c'était difficile.

A six heures, ce samedi-là, je n'en pouvais plus. Je lisais sans que rien ne bouge, n'apparaisse, ton sur ton, dans le milieu diaphane, comme raréfié, où se forment les pensées. J'avais refermé le volume sur le signet et j'avais attendu encore un peu. Si je rentrais, le samedi serait fini. Il avait beau changer, lui aussi, commencer à ressembler à un jour ordinaire, c'était quand même le samedi. Le vendredi suivant était loin et le dimanche après-midi, parfois, pas toujours, je sortais quelques instants. Je marchais jusqu'au pont par les rues désertées. C'était maintenant la seule échappée. Vers la fin septembre, avec les premières pluies, l'eau était devenue vert bouteille, vitreuse, étirant et froissant avec lenteur des nappes de feuilles. Il y aurait eu un charme profond à glisser avec elle, parmi les broderies dorées, dans le temps où passent les rivières. La pierre bise du parapet me comprimait la poitrine. A la fin, le pont semblait appareiller, l'étrave de la pile fendre l'eau immobile pour des lieux inconnus, des heures qui ne menaient pas au vendredi quand elles n'étaient pas purement et simplement le vendredi lui-même, l'escarpe-ment au-delà duquel le corridor recommençait. Je suis resté attablé devant le livre pareil à un bout de bois de chêne sur la table de chêne tandis que les fenêtres s'assombrissaient.

Quand la flamboyante chevelure de la fille a passé dans l'entrebâillement de la porte, suivie du visage souriant de

Daniel, ma première pensée a été qu'il s'agissait d'un tour conjoint du livre que j'avais cessé de lire et de mon imagination. Le livre posait que ce qui est n'est jamais que ce que l'on perçoit. Qu'il n'existe rien d'autre (matière, portes, filles, cachées sous la perception que nous avons d'elles). Et que le seul moyen, dès lors, de distinguer ce qui est effectivement perçu des songeries auxquelles on s'abandonne sans y prendre garde, c'est de vérifier si elles ne présentent pas un caractère faible, désordonné et confus. Si tel n'est pas le cas, il s'agit d'une porte, d'une fille réelles, c'est-à-dire perçues. Le livre, toutefois, concédait que nos songeries sont parfois très vives et très naturelles et que c'est leur manque de liaison avec les autres occupations de notre vie qui les trahit. Or, le samedi différait justement de tous les autres jours en ce qu'il m'entraînait avant, ailleurs, très loin. Les yeux plissés, perplexe, j'ai regardé Daniel et la fille traverser en silence la lumière avare des globes, attendant que l'un des deux, plutôt la fille, se dissipe ou que je perçoive quelque chose d'autre, des gens complètement différents.

Ils se sont arrêtés de l'autre côté de la table. Ils paraissaient aussi naturels, vifs, que si je les avais réellement perçus. Leurs voix aussi : celle de Daniel quand il a dit que c'était Martine et celle de Martine après que j'eus dit, de ma voix habituelle, que je savais, qu'on se connaissait et que la fille, Martine, donc, a dit oui en se tournant vers Daniel qui s'est mis à nous regarder alternativement, comme si la frontière s'était déplacée. Qu'elle passe, maintenant entre lui et nous — la fille et moi. Je ne le lui ai pas dit. J'ai seulement dit qu'on se voyait, la fille et moi, à l'école de musique et aussi le jour de l'audition. J'ai précisé : le jour du grand barbeau. Je me suis tourné, un peu circonspect, toujours, vers la fille pour dire que Daniel avait dû lui raconter mais elle a secoué ses boucles étincelantes. Daniel a dit qu'il ne lui parlait pas de ça. Que d'ailleurs, à ce moment-là, en juin, ils ne se connaissaient pas encore. Puis, me regardant, que c'était drôle, que c'était vraiment drôle. J'ai dit oui.

Ils se sont assis en face de moi en se serrant l'un contre l'autre. Daniel a pris le livre. Il a regardé le titre, demandé qui c'était — j'ai répondu : un évêque irlandais —, ce que c'était et j'ai essayé de lui expliquer. Il a dit ouais, l'œil rond, puis il s'est animé pour me raconter ses démêlés avec les feuilles. Pas le dimanche précédent, qu'il s'était fait coller de huit heures du matin à six heures du soir, le précédent. Il était seul puisque Alain était à Limoges, Pomme toujours fourré dans sa Traction et moi à la maison. L'eau était verte — ce que je savais —, de la même couleur que les vandoises. Il était resté un long moment sur la branche à se demander si ça valait la peine. Il voyait les poissons sans les voir, leur dos vert olive se confondant avec le vert bouteille de l'eau. Il avait fini par se décider et il avait mis un instant à comprendre que ce n'était pas l'eau mais un poisson qui tirait à l'autre bout. Il a dit : comme en rêve, comme si l'eau devenait des poissons à l'endroit où il lançait, n'importe où. La fille s'était comme absentée dès que la conversation était venue sur la rivière. Daniel a consacré quelques remarques aux nappes de feuilles que la rivière emportait et qui le gênaient. Quand elles avaient fini par s'éloigner avec leurs éclatants ramages et qu'il retrouvait pour un instant l'eau verte et comme vide, le découragement le prenait. Il était seul, sans nous, sous le ciel brouillé. Il avait failli céder, quitter l'arbre. Il ne l'avait pas fait parce qu'il avait songé à nous qui ne pouvions pas revenir à la rivière et qui aimerions savoir comment elle était, ce qu'il avait fait. Je l'ai approuvé.

Après les premières pluies, la saison a paru inverser son cours. Il s'est remis à faire chaud. Le ciel avait pris un bleu insolite, acide, comme au début du printemps. L'après-midi, on étouffait dans les salles de cours. Le soir, le vendredi surtout, lorsque je rentrais, des gens en bras de chemise étaient assis à la terrasse des cafés. On respirait un parfum de terre émue, d'herbe lasse. Le déclin rapide du jour et le silence des oiseaux, seuls, rappelaient que c'était octobre.

J'ai revu Daniel le dernier samedi du mois. Je rédigeais le résumé du livre difficile où l'évêque irlandais, sous un pseudonyme transparent, prouve à son interlocuteur, en qui je me reconnaissais plutôt, qu'il n'y a rien que ce qu'on voit et touche. Daniel a dit que c'était idiot et moi que non, qu'on ne pouvait pas prouver le contraire. Il n'a même pas répondu. Il m'a raconté ce qu'ils avaient fait, Pomme et lui, le dimanche précédent, que l'eau baissait, redevenait claire, comme en mai. Puis que la fille lui avait dit ce que je lui avais dit (à la fille), le vendredi, à l'école de musique : à savoir que je ne pourrais pas les retrouver à la rivière, le dimanche, tant j'avais de travail. Enfin qu'Alain rentrerait à la Toussaint et qu'on pourrait se voir chez lui, Daniel.

Tout au long de l'étrange arrière-saison, courant et bataillant contre le temps petit, les livres difficiles, j'avais espéré que la lumière tardive et la douceur indue resteraient encore et que je pourrais retourner à l'arbre avec Alain, Daniel et Pomme. Mais on est entré sans préavis ni transition dans l'hiver. Nous avons fleuri nos tombes sous un ciel blanc, tout proche, et le surlendemain, lorsque après déjeuner, je suis allé prendre Pomme et que nous nous sommes rendus chez Daniel où Alain nous attendait, il avait gelé.

Ce n'est pas Alain que j'ai remarqué d'abord mais la grande photo en couleurs d'une fille à l'endroit où, des années durant, un avion britannique avait plongé sur une formation de bimoteurs au dos vert, pareils à des poissons. J'ai dit, sur un ton que je voulais dégagé, qu'elle n'avait pas grand-chose sur le dos. Sur quoi Pomme a déclaré, de sa voix naturelle, qu'il y en avait au garage, sur des calendriers, et qu'elles en avaient encore moins. Alain était assis sur une chaise. Il a trouvé que j'avais singulièrement grandi, changé. Lui était le même, peut-être un peu plus petit que dans mon souvenir mais c'est que j'avais grandi. Nous nous sommes assis, Pomme et moi, sur le plancher, le dos à la cloison, en face de la fille qui avait l'air de nous surveiller subrepticement à travers ses cheveux défaits. Daniel a repris pour Alain le récit de ses pêches d'arrière-saison, l'eau entre les nappes de feuilles et tout le reste.

Nous sommes restés silencieux un long moment, dans la lumière blême de novembre, avant qu'Alain nous parle de ce qu'il faisait à Limoges, le droit public, le droit privé, et surtout de ce qu'il comptait faire : partir. J'ai fait observer qu'il l'était déjà, parti. Et lui : non, partir. Monter à Paris. Et moi : quoi, Paris ? Et lui, sur le ton de l'évidence : Paris. Il nous a regardés tous les trois, Daniel et Pomme qui n'avaient rien dit mais que je sentais proches, avec moi, et moi qui répétais mécaniquement Paris, Paris, Paris. Il a secoué légèrement la tête, regardé le ciel blanc, la fille, au mur, dont le regard guettait notre regard, puis Daniel assis sur le lit et enfin Pomme et moi, adossés à la cloison. Il a encore hoché la tête avec l'air de se demander si ça valait la peine, si ça servirait à quelque chose. Il l'a gardé pour dire que c'était un trou : c'est un trou, ici. Et comme personne ne répondait :

que c'était normal que nous ne le voyons pas puisque nous étions dedans. Là, j'ai parlé. J'ai demandé ce qu'il y avait d'autre, de plus. Et lui, aussitôt, impassible, distant, comme s'il m'avait répondu de Paris, à cinq cents kilomètres de là : tout. Et comme nous ne devions pas paraître nous rendre compte de ce que c'était, tout, il a haussé les épaules et il s'est mis à regarder la fille, au mur, d'un air suprêmement indifférent.

Je lui ai représenté qu'ici aussi il y avait quelque chose. Daniel et Pomme ne participaient pas à la discussion, du moins jusqu'à ce qu'elle ait commencé à tourner mal entre Alain qui regardait le ciel et moi qui persistais à tenir pour quelque chose ce que nous avions eu, fait ou seulement rêvé depuis qu'il y avait eu quelque chose et nous avec. Alain m'a laissé finir, trois ou quatre fois, parce que je trouvais encore un fait important à ajouter à tout ce que j'avais déjà relevé. Il n'a pas dit que ça ne l'était pas. Il s'est contenté de regarder dehors. J'ai dit, en faisant siffler les s, demandé ce qu'il ferait, serait d'autre, de plus. Il a dit : avocat, et après un temps, de la politique, peut-être. A Paris. Et que nous, ici, nous ne pouvions pas savoir ni faire rien qui vaille pour la simple raison que c'était ici. C'est à ce moment que Pomme a parlé, le dos à la cloison, près de moi. Il a demandé quoi. Et Alain : quoi, quoi ? Et Pomme : quelle sorte de politique ? Alain a regardé Pomme comme si la question cachait quelque chose de pointu, de barbelé, un ardillon. Il a agité la main pour dire à nouveau : de la politique. J'attendais que Pomme demande autre chose. Je l'ai regardé, son profil calme, anguleux. Mais il n'a rien dit. Non qu'il n'ait rien trouvé à redire, qu'il ait cherché. C'était exactement l'inverse : il avait l'air d'avoir parfaitement compris ce qu'Alain voulait dire et même fort au-delà et Alain, vers qui j'ai tourné la tête, le regardait comme s'il venait lui-même de comprendre quelque chose à propos de Pomme, qu'ait subitement grandi la distance qui les séparait déjà, depuis toujours. (Parce qu'à la réflexion, ça se présentait ainsi : d'un côté, Pomme, qui parlait à peine, avec ses espadrilles l'été, ses pataugas l'hiver, son visage large, pacifique ; de l'autre, Alain qu'on redécouvrait chaque année, après les vacances, qui nous surprenait toujours avec ses cigarettes américaines, ses cravates, ce qu'il avait appris quand il était en terminale et moi en première et maintenant qu'il nous avait quittés pour Limoges, ce qu'il pensait d'ici, de nous. Et entre eux deux, à égale distance, Daniel et moi puisque nous avions un an de moins qu'Alain et que Pomme, que nous étions au lycée (ou à Fénelon mais à de certains égards, ça revenait au même) et surtout que nous n'étions pas, n'avions jamais été fermement égaux, identiques à nous-même, comme Pomme, ni non plus toujours occupés à faire quelque chose que nous n'avions pas encore fait, comme Alain. Donc, c'est ainsi que la situation m'est apparue : Daniel, assis sur le lit et moi contre la cloison toujours au même endroit, au milieu et puis, beaucoup plus loin qu'avant, si loin qu'on se demandait s'il existait un lien, quelque chose de commun entre eux vu que l'intérêt commun qu'ils portaient à la politique semblait les éloigner davantage, Alain et Pomme.)

C'est Daniel qui a tout changé, resserré le groupe distendu, menacé que nous formions en cet après-midi d'hiver succédant à l'été insolite, hasardé jusqu'aux derniers confins d'octobre. Il a dit qu'on avait peut-être besoin d'avocats à Paris, qu'on y faisait peut-être de la politique mais qu'Alain aurait sûrement du mal à trouver un arbre sur la Seine. Qu'il n'y en avait pas, rien que des quais. Il avait vu des photos. Et que ce qui coulait au bas des quais, il voulait bien que les gens de Paris l'appellent de l'eau, la Seine, mais que c'est d'un autre mot, lui, qu'il se serait servi. Et Alain a dit oui, tout de suite, avec son air d'avant, d'avant les cigarettes, d'avant l'air désinvolte qu'il s'était donné en première et de tout ce qui avait encore suivi, comme si c'était de nouveau le printemps, le matin, quand l'un de nous quatre (qui n'était pas moi) avait raconté aux trois autres, décrit l'aulne sur la rivière. Alain a dit que c'est la seule chose qui manquait, à Paris, et que ça l'ennuyait, que ça l'ennuierait.

On s'est encore raconté l'histoire des vandoises, deux ans avant, celle aussi du barbeau, en dernier, car elle était toute proche, un peu incertaine. Il fallait bien une année pleine pour que les circonstances, l'ordre des faits, les détails de toutes sortes soient à peu près répertoriés, assemblés, et quelques mois supplémentaires avant qu'ils cristallisent, que l'urgence, les cris, les lueurs, la confuse frénésie d'une brève matinée prennent la forme d'une rosace, se couvrent d'un glacis transparent. Que nous possédions tous les quatre, même s'il en manquait un ou deux quand ç'avait été le désordre, la fièvre, le matin, quelque chose de poli, de précieux, une sorte de sulfure que l'un d'entre nous, fût-ce l'absent, sortirait pour les trois autres un après-midi d'hiver. C'est Daniel qui racontait. Pomme rectifiait, complétait, mais nous aussi, Alain et moi, avec les souvenirs tumultueux de la première fois, quand Pomme avait arraché le grand barbeau à la pénombre des fonds et que nous avions pu le voir, chacun à notre manière — brun, jaune, immense — dans le laps de temps indéfinissable qu'avait occupé son apparition, juste avant qu'il ne casse tout et disparaisse pour huit ou neuf ans.

Les pluies d'octobre sont tombées en décembre. Elles ont commencé un vendredi, que j'ai dû mettre le dictionnaire de latin dans une poche en plastique avant de me jeter dans la nuit diluvienne du matin. Et douze heures plus tard, lorsque recru, hébété, j'ai quitté l'école de musique, je me suis rendu compte qu'il n'avait pas cessé de pleuvoir de tout le jour (ou du court intermède qui en tenait lieu aux approches de Noël, blafard et glacé quand le temps était à l'est, violacé, moins âpre lorsqu'il passait à l'ouest, au creux de l'immense nuit). Le vendredi suivant, il pleuvait toujours quand j'ai quitté la maison mais au moment de rentrer, en levant la tête, j'ai surpris quelques étoiles au ciel ténébreux. Noël a été doux. J'en ai profité pour finir un livre difficile, mordre dans un autre et même revenir un peu à ceux qui représentaient des choses, des champs de neige, des fleuves des tropiques tandis que ceux, duveteux, de l'arrière-salle, que presque personne ne consultait, me renvoyaient à mon délaissement, à l'hiver, au glissement rapide de ma dix-huitième année.

C'était un samedi normal après un vendredi pareil à un mur, et je lisais dans la lumière électrique avec des intermittences pendant lesquelles je me surprenais à attendre, à souhaiter que le bibliothécaire referme ses boîtes tellement la tâche de lire était devenue malaisée. Daniel devait être assis en face de moi depuis un bon moment quand m'est revenue la notion de ce qui entourait le livre : la nuit, le livre lui-même, le volume poussiéreux, Daniel, moi, janvier. Daniel a demandé si c'était un Anglais. J'ai dit que non, un Allemand, mais qu'il avait vécu à Londres. Et Daniel : c'est encore un évêque ? Et moi : non. Que c'était plutôt le contraire, un philosophe, un économiste, aussi. Je lui ai demandé à mon tour s'il était seul. Il a répondu que je voyais bien. Puis que Pomme nous attendait au garage. Il a dit que je verrais. J'ai glissé le signet dans le livre, demandé au bibliothécaire de me le réserver pour la semaine suivante et nous nous sommes retrouvés dans les rues glacées, désertes, où des fumées rousses de charbon gras tourbillonnaient. Même sur le boulevard, l'impression de déréliction persistait. C'est pourquoi nous avons eu l'impression que le bruit, le mouvement et la lumière, chassés du monde, s'étaient concentrés dans l'antre ultime du garage où Pomme nous attendait. Nous sommes restés interdits à la frontière de la fureur et du fracas, des rafales d'éclairs. Un gars, derrière un masque de cyclope aveugle, tapotait son électrode contre des cornières. J'ai ouvert la bouche pour parler. L'arc électrique a éclaté à la même seconde. J'ai vu son cœur blanc, les gerbes paraboliques d'étincelles orangées dans le grand cillement bleuâtre et, aussitôt après, plus rien du tout, un semis de taches vertes qui se posait sur tout ce que je voulais regarder. J'ai dit mince, et à Daniel que je ne voyais plus rien. Il a dit que c'était normal.

Nous avons attendu dans la clarté tressautante de foudre que le type ait fini son cordon. Il fallait crier pour se faire entendre. Un moteur tournait à plein régime à cinq pas de là et quelqu'un cognait de toutes ses forces sur de la tôle un peu plus loin. Le gars a braqué son électrode vers les profondeurs de l'atelier en disant quelque chose. Mais il a fallu que j'attende encore un peu. Je ne voyais même pas Daniel derrière les taches vertes. Il n'y avait que sa voix et le fracas. Et puis les taches ont pris un peu de retard. C'est-à-dire qu'en tournant rapidement les yeux, je voyais la 203 blanche au capot levé à qui un mécanicien arrachait froidement des clameurs démentielles. Une fraction de seconde plus tard, toute la scène semblait aspergée de peinture verte. J'ai répété punaise, deux ou trois fois, et puis la peinture a fini par s'en aller. Maintenant, c'étaient des confettis citron pleuvant sur le ciment noir, les ferrailles oxydées, les fûts de deux cents litres entre lesquels nous cherchions notre chemin. Il a fallu s'arrêter. Un autre type soulevait un Citroën en tôle ondulée avec un cri spécial. Il pompait énergiquement sur le manche et le fourgon s'inclinait par saccades. J'avais recommencé d'y voir suffisamment pour deviner sa figure maigre, salie, brutale, alors qu'il avait notre âge, comme si les choses auxquelles nous étions chaque jour affrontés recelaient notre véritable visage, ce qui expliquait l'air de famille que je leur trouvais à tous, de dureté sombre et froide, comme du métal, alors que Daniel ou ce que j'en voyais à travers les confettis et les éclairs était différent, semblable à ce que j'imaginais que je pouvais être ou sembler aux yeux des gars en bleu, fragile, futile, anodin. On a contourné une sorte de cloison et trouvé le pont dressé. Sous le pont, le visage durci par la lueur d'une baladeuse, Pomme tenait une clé à bout de bras. Daniel a crié son nom. Pomme, sans se retourner, nous a dit, crié, de reculer et le moteur a lâché un long filet spiralé d'huile noire. Je voyais normalement. Il n'y avait plus que quelques lucioles, tournoyant dans la pénombre assourdissante. Pomme s'est extrait de la fosse. Il a remonté la manche de sa combinaison pour que nous serrions son poignet, dit que ça y était, qu'on n'aurait plus besoin de marcher, de nager, puis de nouveau que ça y était, qu'il finissait. Il est redescendu dans la fosse pour serrer son boulon. Il en est ressorti pour actionner un levier fixé à la cloison. Le pont est descendu avec la Renault dessus et Pomme a disparu derrière le capot.

Par instants, le bruit semblait décroître, devoir cesser. L'aboiement colossal, comme issu d'une triple gueule, de la tôle martelée s'arrêtait. On sortait un peu la tête des épaules. On décelait des sons habituels, le tintement d'un écrou, une voix. Mais aussitôt, l'autre, là-bas, recommençait avec la 203, exaspérait le moteur au point que ça ne pouvait pas continuer, que tout allait lui sauter à la figure. Pomme était toujours derrière son capot et un autre type nous parlait, criait, avec un visage dur, comme les mécaniciens qui ferraillaient partout autour de nous. Seulement, il avait bien la cinquantaine. Il portait une veste en peau, une chemise blanche et il nous regardait d'un air mécontent, soupçonneux. Daniel a montré le capot. Il a dit, d'une voix normale (le moteur s'était calmé et le tôlier n'avait pas recommencé), que nous attendions Pomme. L'autre a continué à nous regarder sans rien dire, ah, oui, bonjour. Il a passé derrière le capot. Il y est resté un court instant — la tôle s'était remise à aboyer — puis il est ressorti et nous l'avons vu disparaître entre les fûts et les piliers de soutènement, dans la pénombre trouée d'éclairs.

Nous avons attendu encore un peu. J'avais l'impression que l'aboiement et le rugissement me rentraient dans le corps. Je n'ai même pas entendu claquer le capot. Pomme a jeté les bidons d'huile dans un fût, éteint la baladeuse et il nous a fait signe de le suivre. Il avait peut-être l'air contrarié, blessé, mais on ne voyait jamais grand-chose des contrariétés qu'il pouvait éprouver ni d'ailleurs du reste. Nous avons suivi en sens inverse l'itinéraire compliqué, dangereux, qui menait à la nuit morte. Le moteur avait fini par se taire après deux ou trois éternuements. Une épaisse brume de gaz brûlés enveloppait la 203 et son tortionnaire. Le soudeur a tourné

109

vers nous son masque impénétrable. Les cornières rougeoyaient au bord de l'obscurité.

Nous nous étions bien éloignés lorsque j'ai desserré les épaules et sorti la tête. Nous avons pris par les petites rues qui menaient à la gare et, au-delà, vers les hauteurs où les vaches et les carrés de choux le disputaient encore à l'invasion des épaves d'autos et des petits pavillons à terrasse. La nuit cuisait le nez et les oreilles. Il n'y avait que nous trois. On aurait pu se croire dans la durée uniforme, arrêtée où baignent les planètes abandonnées du soleil. Daniel a demandé si c'était le patron, la veste en peau. Pomme a dit oui. J'ai, moi, livré l'impression qu'il m'avait faite sans circonlocutions et Pomme a trouvé que ça ressemblait assez à ça. Je n'y voyais presque rien mais c'était vraiment à cause de l'obscurité de la ruelle. Mes yeux ne pleuraient plus. Ils me piquaient un peu et j'avais une sensation de froid aux paupières. Nous avons pris à gauche sous une lampe haut perchée qui n'éclairait rien du tout. Pomme a tiré une énorme clé de sa poche. Nous nous tenions devant un grand bâtiment délabré, une ancienne remise percée de portes à double battant. Pomme a fourragé dans la serrure et tiré les vantaux, ouvrant dans la nuit noire un porche d'une noirceur absolue. Il a heurté un bidon. Une lumière blanche, aveuglante, a jailli. Il s'est tourné vers nous. Il y avait un grand sourire dans son visage carré. Il a dit : voilà le travail.

VII

On n'a rien dit, Daniel et moi, ni les yeux, ni mince, ni pire. On est resté planté devant la remise violemment illuminée où la Traction brillait comme un jouet neuf dans son emballage ouvert. Je dis la Traction mais c'était, un peu, comme les poissons selon qu'ils sont dans leur élément ou qu'on vient de les tirer de notre côté, avant qu'ils ne s'éteignent et se racornissent, deux choses distinctes même si, à la réflexion, elles n'en sont qu'une seule : la carcasse rétive, d'un noir déteint que nous avions baignée de notre sueur et l'engin étincelant où la puissance était concentrée comme dans un lingot de métal précieux. Et quand elle s'est mise à bouger avec Pomme au volant, on aurait dit réellement un jouet que pousse une main géante et ravie. On devinait qu'il y avait un moteur et qu'il tournait seulement à l'aigrette blanche de l'échappement. Pomme est sorti pour éteindre et fermer la remise. Un rien cérémonieux, il nous a invités à monter. Dedans, l'impression persistait qu'une grande main docile nous menait avec délicatesse dans le dédale des ruelles et ensuite sur le boulevard désert où les feux clignotaient pour rien.

A l'ouest, la ville finissait à hauteur de l'aire de stockage des Ponts et Chaussées. Le dernier lampadaire dessinait vaguement des pyramides de caillasse et d'enrobé, les contours anguleux des engins. Au-delà, la nuit s'ouvrait comme un gouffre au fond duquel dormait la mer. C'est ainsi que je me représentais l'ouest, la trouée dans l'anneau des collines où j'avais appris à lire, à pêcher, à déchiffrer la clé de *fa* et aussi que ce n'était qu'un creux étroit dans des collines au-delà duquel, si j'avais eu la force ou le temps, j'aurais fini par trouver Tombouctou, comme René Caillié, ou simplement la mer. Il n'y avait plus, de part et d'autre de la nationale, que des prés mouillés qu'on ne voyait pas. C'est pour ça que ça m'a échappé, d'abord, alors que des arbres ou des maisons, des repères m'auraient averti. Le bruit du moteur s'était enflé. Pomme a annoncé cent. Je me suis penché pour vérifier. C'est que papa, avec la 4 CV, ne dépassait guère quatre-vingt-dix et que, lorsqu'il avait fini par y monter, on se prenait, derrière, à souhaiter qu'il ralentisse tout de suite à cause du bruit. L'aiguille du compteur a dépassé cent dix. J'ai regardé Pomme du coin de l'œil. L'éclairage du tableau de bord lui faisait le même visage dur qu'au garage. L'aiguille touchait presque le un de cent trente quand le grondement a décru. Nous arrivions déjà au pont, sous la ligne de chemin de fer, où la route serpentait capricieusement avant de repartir tout droit, le long de la rivière. Pomme avait beau avoir ralenti, jamais je n'avais vu les parois de maçonnerie du pont sous ce jour — rien qu'un battement clair au bord extérieur du double cône des phares — et encore parce que je savais qu'on passait dessous. Les pneus se sont mis à gémir pendant que j'étais invinciblement écrasé contre ma portière puis attiré vers Pomme. Le bruit du moteur a de nouveau rempli l'habitacle. Pomme a annoncé cent trente. Le grondement avait cessé de croître et pourtant la voix égale a dit encore cent cinquante. Et c'était vrai. On y est resté le temps pour Daniel et moi et pour Pomme aussi, peut-être, de mesurer, d'éprouver la quantité de mouvement qui effaçait les ponts et mettait la mer à deux heures. Si la fuite des semaines, les livres difficiles, les vendredis télescopés ne m'avaient d'ores et déjà averti, j'aurais compris d'un seul coup, ce soir-là, à cent cinquante à l'heure, que l'éternité calme où j'avais respiré dix-sept années était en train de basculer. Pomme a levé le pied. Il consommait sans mesure, à cette vitesse. Il y avait un carrefour, un peu plus loin. Il a fait demi-tour, prudemment, quoique la nuit froide fût plus que jamais déserte autour du bolide argenté et nous sommes rentrés à quatre-vingt-dix.

Après l'aire de stockage, Pomme a pris à droite, vers les hauteurs. Nous avons longé les jardinets de la périphérie, les chantiers, gravi une longue rampe abrupte avant que la route ne se redresse et que Pomme nous signale la casse, invisible dans la nuit, d'où nous avions tiré la voiture six mois plus tôt. Juste après, il a dit que nous étions sur le premier faux plat, le vrai, et moins d'une minute plus tard que nous attaquions le second, la côte. Le troisième, nous ne l'avons même pas senti. Pomme a déclaré qu'il nous devait ça. Il s'est repris. Il a dit que non, que c'est aux faux plats qu'il le devait. Il voulait leur montrer qu'ils ne comptaient plus. On aurait pu se croire n'importe où, dans la nuit sans fond du vide intersidéral, si un semis d'étincelles n'avait indiqué la ville, en contrebas. D'ailleurs, les faibles, les fragiles lueurs n'enlevaient rien à la sensation que nous avions de flotter loin de tout, des enclaves silencieuses ou, pour Pomme, assourdissante, où nos jours se passaient, des vendredis, même de l'arbre ; elles y auraient plutôt ajouté. Daniel, derrière, le nez à la vitre, a répété mot pour mot ce qu'il avait dit, en juin, quand nous poussions la Traction (le tas de ferraille qu'elle était alors) : que ça ne faisait pas grand, d'ici. Je le pensais, moi aussi, maintenant que la mer n'était plus qu'à deux heures, que nous aurions pu l'atteindre et revenir dans le court interstice d'une matinée.

Pomme m'a laissé devant la maison, étourdi, incrédule encore d'être allé si vite, si loin et de me trouver de nouveau là.

Le lendemain, je ne suis même pas sorti, après déjeuner, tant le froid était aigre. Je me suis contenté de ne rien faire du tout une heure et demie durant, lire ou réviser ou arrondir un peu le second des trois morceaux de musique qu'on me donnait chaque année à étudier. Le jeudi, février a succédé à janvier. Le samedi, je venais juste de m'asseoir à proximité du poêle de la bibliothèque, avec un livre, quand Pomme est entré. J'ai pensé que Daniel avait encore fait des siennes et que c'était forcément à la nage puisque nous n'avions plus de radeau. Pomme est venu à moi dans l'air gris, encore glacé. J'ai ouvert la bouche. J'ai dit quoi ? qu'est-ce que ? Il s'est assis en face de moi et il a dit qu'il avait vu Daniel et que l'arbre, tu sais — et moi : oui, oui — l'arbre était parti. Et moi : et Daniel ? Et Pomme : quoi, Daniel ? Et moi : il était dessus ? Et Pomme : pas du tout.

Il a repris. Il avait vu Daniel avec une fille. J'ai dit : rousse. Et lui : blonde. Et moi : comme un écureuil. Et lui : blonde. Et moi : avec des bottes blanches. Et Pomme : oui. Mais j'ai songé que cette année- là, tout ce qui ressemblait à une fille portait des bottes blanches. Et qu'elle devait être

vraiment blonde et que ce n'était pas la même. J'ai dit oui.
Donc, la veille, Pomme avait vu Daniel qui lui avait dit qu'il
était revenu la veille (le jeudi) à la rivière parce que c'était le
1er février et que c'est toujours ou du moins souvent dans le
courant de ce mois-là qu'on avait le premier pressentiment
des heures exaltées, toujours neuves, que nous connaîtrions
encore — jugions devoir connaître, considérions comme
notre dû imprescriptible. Il faisait peut-être un peu moins
froid que le mercredi et que tous les jours d'avant, les
derniers de janvier. Daniel s'était avancé dans le taillis rouge
et gris de l'hiver. Il avait traversé le roncier. Il pouvait être
cinq heures et demie et le jour s'attardait aux lisières de la
ville. Il a dit à Pomme qu'il était resté un bon moment à se
demander où il se trouvait, comment il avait bien pu se
tromper en cherchant son chemin dans le noir dédale du
roncier. C'est que le bord des rivières, quand elles ne sont pas
enserrées entre des quais, est sujet à tellement changer selon
que descend l'automne ou que le jour gagne, avec février,
que même Daniel, même nous, chaque année, nous restions
interdits au pied de l'arbre, devant l'eau. Ensuite, ce n'était
pas à proprement parler comme si nous avions fini par les
reconnaître, comme on l'aurait fait de n'importe quoi qui va
de conserve avec nous, qui change et passe avec le temps,
comme nous. Non, c'était purement et simplement comme la
première fois qui serait revenue sans pourtant en devenir une
autre, moins vibrante, la seconde.

Donc, Daniel avait pensé qu'il s'était trompé, qu'il avait
débouché trop haut ou trop bas quoique tout fût pareil — les
traînées de galets que nous avions fini par connaître indivi-
duellement, le profil crénelé de la rive opposée et, au-delà, la
masse sombre d'une colline sous le ciel gris. Il a dit qu'il avait

mis du temps. S'il distinguait aussi nettement cette hauteur, c'est que les frondaisons de l'aulne auraient dû la lui masquer. Il s'était jeté en avant, vers le talus. C'était le même endroit et c'était comme avant, comme la première fois, à cette différence près que l'arbre avait rejoint l'eau. Daniel avait dit à Pomme qu'il pensait que ça s'était produit en décembre, avec les grandes pluies. La berge, violemment affouillée, avait cédé. L'arbre était tombé perpendiculairement à la rive et le courant l'avait rabattu. La troisième branche devait avoir éclaté en touchant le fond et la première, debout, était agitée d'un frémissement continuel par la poussée de l'eau. Daniel avait dit encore que ça lui avait fait quelque chose. Il était seul. Il aurait voulu que nous soyons tous là. Ç'aurait été moins triste. Il comprenait mal que l'arbre ne soit pas parti. Il ne tenait plus que par quelques racines de la taille du petit doigt. Il s'était assis sur la terre froide. La nuit tardait. Des lumières hésitaient, vers l'aval, vers la ville mais l'air, près de l'eau grise, était gris perle. Il a dit, que c'était, à cet instant précis, comme si quelque chose avait pris fin. Ce qui viendrait après — il ne savait pas bien quoi — ne serait plus pareil, même si on était plus grand, même si on avait une voiture. Il manquerait l'arbre.

Pomme s'est tu. Nous sommes restés face à face de part et d'autre de la table de chêne noirci. Le morne après-midi de février était devenu plus morne, faute des heures lointaines auxquelles il menait où, perchés entre ciel et terre, nous chercherions à percer une fois encore semblable à la première l'éternel mystère de l'eau. Pomme m'a quitté au dernier moment. Il ne lui fallait pas trois minutes pour être au garage, avec la Traction. Et moi, au lieu de lire, d'étudier, j'ai passé le reste de l'après-midi à me remémorer les

matins abolis, quand l'aulne était debout et nous dedans.
J'ai revu Daniel un samedi lumineux de la fin du mois. Je
lisais mal. Je n'arrêtais pas de tourner les yeux vers la fenêtre
mangée par l'éblouissement. Il est arrivé vers six heures avec
une fille qui n'était ni la première que je croisais toujours
régulièrement à l'école de musique ni celle dont Pomme
m'avait parlé. Celle-ci était brune sans discussion possible et
s'appelait Nicole. Ils se sont assis en face de moi. Il faisait si
clair et le jour avait crû si vite que le bibliothécaire n'avait pas
encore allumé. Daniel a demandé si Pomme m'avait dit, pour
l'arbre. J'ai dit oui. Lui aussi : oui. Il me l'a raconté de
nouveau. Nous avons gardé le silence un long moment. La
fille, à qui l'importance de l'arbre échappait complètement,
regardait d'un air vague les murs couverts de livres. Elle a dit
qu'elle ne lisait pas, que ça l'embêtait. Et Daniel qu'il avait
deux choses à me montrer.

Il a tiré de son sac de sport une page déchirée d'un
magazine. La photo en noir et blanc d'un Noir en occupait la
plus grande partie. Il m'a demandé ce que ça me rappelait.
J'ai cherché dans les souvenirs des voyages que j'avais lus,
hasardé que c'était peut-être un Bakota ou un Bamiléké qui
aurait passé une chemise blanche puis j'ai dit que non, que je
ne voyais pas du tout. Et lui : le soir où on a ramené la
Traction. Il n'y avait pas de Noir, ce soir-là, rien que nous
quatre, la ferraille et les faux plats. Puis je me suis souvenu
de la voix sauvage, de l'instrument inouï, de la sensation
neuve, étourdissante qui nous avait empoignés sur les
hauteurs. De ce que Pomme avait dit : que c'était maintenant, c'est-à-dire — j'y avais repensé, après — l'instant
autour duquel il y aurait un avant et un après, même après
qu'il serait devenu avant. Parce que avant, avant le soir de

117

juin où nous l'avions entendu sur la route, nous ne savions pas vraiment. C'était en quelque sorte pareil, immobile : l'automne et l'hiver, le vendredi puis le samedi, la rencontre intacte de l'eau, de l'arbre, d'avril, l'image de la mer atteinte avec trois tronçons blanchis de branches et les points dérisoires de nos têtes montant sur la houle. Et après, Alain nous avait quittés. J'avais perdu le libre usage de l'arrière-saison, des livres pleins de tigres, de Batékés, de poissons-scies. Puis l'arbre avait été déraciné. C'était encore l'hiver, le dernier sans doute que je passe avec Daniel et Pomme. J'ai dit que je me souvenais.

Le soleil avait quitté la pièce mais l'air était infusé de lumière. Daniel a replié soigneusement le papier. Ensuite, il a tiré de son sac une boîte en carton. Il l'a ouverte et il me l'a tendue. Elle contenait un moulinet à tambour. J'en avais déjà vu à la vitrine de l'armurerie où l'on vendait aussi des articles de pêche. Ils étaient argentés, comme la Traction que Pomme avait remotorisée, repeinte, alors que nos petits moulinets avaient des flasques en tôle verte et qu'il fallait une éternité pour rembobiner trois mètres de fil, le dimanche, à midi. J'ai dit, dans un souffle : purée. J'ai extrait l'engin de sa boîte. J'ai relevé l'ergot. Il est retombé avec un claquement sec, féroce, dès que j'ai commencé à tourner la manivelle. Le bruit a pris des proportions énormes dans le silence un peu sacré, un peu sépulcral. Le bibliothécaire a levé la tête mais il n'a rien dit parce que c'était la première fois que j'en troublais, si peu que ce fût, le recueillement. Avec la démultiplication, l'ergot tournait si vite autour du tambour fixe qu'on ne voyait plus qu'un cercle brillant. On n'entendait presque rien, un chuintement sobre, bien huilé. J'ai dit mince. Daniel a dit que Pomme avait le même et qu'ils allaient monter sur le plateau. Qu'ils pêcheraient la truite.

Ce n'est pas ce dimanche-là ni le suivant mais l'autre, après, c'est-à-dire le dernier de l'hiver qu'ils l'ont fait. D'abord, Daniel a été collé huit heures d'affilée. La semaine suivante, Pomme a été appelé à Limoges pour les trois jours. On l'a déclaré apte alors qu'Alain avait été réformé. C'est donc au début de la deuxième quinzaine de mars qu'ils étaient partis dans l'aube glacée avec leurs moulinets à tambour et des cuillers en laiton. Ils nous l'ont raconté, à Alain qui venait de rentrer et à moi qui sortais d'une lecture éprouvante, dans le soir vert pâle du premier printemps.

Comme il était à peine plus de six heures du matin et que c'était dimanche, la route était libre. Pomme avait poussé la Traction à cent quarante. Il y était resté jusqu'à ce qu'ils s'engagent dans les premiers encaissements où la chaussée épousait le tracé de la rivière tandis que la rivière commençait à bondir et à écumer sur des rochers. Ils étaient sortis en crabe d'un virage spécialement prononcé. Le talus, tout mousseux d'herbe neuve, avait coulissé en travers du pare-brise pendant que les pneus hurlaient — Daniel a imité le hurlement des pneus — mais Pomme avait récupéré la direction. Les talus avaient repris leur place, de part et d'autre de la voiture, et ils avaient continué, moins vite, à travers les vallées noyées d'ombre. Ils avaient atteint la préfecture noire, comme veuve, avec ses fabriques d'armes, ses maisons moroses de granit, puis gravi des rampes tellements abruptes que Pomme avait dû descendre la 15 en seconde. Il a fait le geste. Il a incliné l'avant-bras, la main tendue, pour que je me représente un peu les rampes qu'il avait escaladées en seconde. Ils avaient débouché en même temps que le soleil et ils ne voyaient plus rien du tout. C'était le plateau. Pomme a dit qu'il fallait voir, qu'on leur avait manqué. Nous avons hoché la tête, tous les quatre. Daniel a dit que c'était comme s'ils avaient changé de département. Il s'est tu, pour chercher ce qui était le plus différent. Il a dit que c'était plat. Que le ciel était d'un bleu cru, presque violet, partout, même au ras des étendues de bruyères, d'ajoncs et de fougères flétries par lesquelles la route semblait vouloir se perdre. Les arbres aussi : non seulement ceux qui bordaient la route, trapus, d'un gris cendré au lieu qu'en bas, qu'ici, c'étaient des platanes, mais les bois compacts de sapins, d'un vert ténébreux, où la nuit semblait se réfugier pour la durée du jour et qui confluaient en oblique vers la nationale. Il s'est encore arrêté, pour réfléchir. Il a ajouté qu'il n'y avait personne et que c'est pour ça que c'était étrange, que les bois de sapins avaient vraiment l'air de se rapprocher d'eux et de ne pas être seulement des bois.

Pomme était remonté à cent trente malgré la lumière frisante où ils s'enfonçaient. Les arbres aux troncs gris les croisaient dans une cascade de froissements. C'est comme ça qu'ils avaient manqué l'embranchement. Ils étaient revenus sur leur trace et ils s'étaient engagés sous les sapins qui avaient fini par se rejoindre. Pomme a dit que c'était drôle : qu'après avoir accédé à la lumière neuve de l'aurore, ils replongeaient dans une espèce de crépuscule d'automne roux. Ils s'élevaient à nouveau, même si ce n'était pas d'un mouvement aussi brutal qu'au sortir des gorges, après la préfecture. Il aurait fallu que nous y soyons tous. Ils avaient navigué longtemps sous ces forêts du soir où l'étroite chaussée bombée se jetait sans cesse de côté et d'autre, filait comme un lièvre sous le couvert. Pomme n'arrêtait pas de freiner et d'accélérer pour récupérer la Traction au milieu des tournants. A la fin, ils ne savaient plus trop bien. Le printemps qu'ils avaient laissé dans la plaine avec les fusées d'or des forsythias, les pommiers du Japon, les brouillards verts devenait plutôt un rêve qu'ils auraient fait, tous les deux, pendant la nuit, tandis qu'avec la nuit vague rôdant parmi les fûts couleur de fonte, les profondeurs rougeâtres, les ombres bistre, il leur semblait qu'ils s'enfonçaient non pas dans l'hiver revenu mais dans celui des contes qui vit éternellement au fond des sapinières avec la nuit.

Ils roulaient dans la lumière violente depuis un bon moment quand ils se sont ébroués. L'envie de dormir, le goût de songe qu'ils avaient, sous les bois, se sont dissipés. La brande ondoyait faiblement sous l'immense coupole du ciel. Il n'y avait plus rien, plus d'arbres, à moins qu'on n'appelle ainsi les pins rachitiques, noirs, pas plus haut que des plantes vertes, qui mouchetaient la solitude jaune paille. Pomme avait accéléré mais pas trop. Ils devaient passer un pont et c'est sous le pont qu'ils retrouveraient la rivière ou du moins ce qu'elle devenait à quatre-vingts kilomètres de l'endroit où elle était depuis toujours, pour nous, la rivière, la fuite immobile où croisaient les oiseaux, les nuages, les herbes et les poissons que parfois nous lui arrachions. Il leur semblait qu'ils s'étaient infiniment éloignés. Que toute l'épaisseur d'un hiver les séparait de la fin de la nuit, du départ, alors qu'il était encore tôt. Ils roulaient de nouveau vers l'est, dans l'éblouissement du soleil de mars, du vide inconnu qui s'ouvrait devant eux. Sans le pont, ils auraient manqué la rivière. La route franchissait une tranchée peu profonde aux parois évasées et Pomme avait demandé à Daniel si on pouvait appeler ça un pont. Daniel a dit qu'il avait dit que c'était difficile mais qu'il valait mieux vérifier. Que tout changeait, sur les hauteurs, le ciel vertigineux, les arbres pas plus grands que des caoutchoucs en pots, les gens, qui avaient purement et simplement cessé d'exister. Pomme avait engagé à demi la Traction sur la banquette, coupé le contact et ils étaient sortis. Il a dit qu'il y avait autre chose mais que, dans la voiture, ils n'avaient pas pu le sentir : le silence. Que ça devenait une sorte de rumeur, quelque chose qui attirait l'attention à force d'être concentré, silencieux. Ils s'étaient mis tous les deux à parler bas, à ne faire que les gestes strictement nécessaires. Ils avaient marché jusqu'au pont. De l'eau coulait au fond de la tranchée, sans le moindre cliquetis, d'une transparence si parfaite qu'il leur fallait regarder le bord, l'endroit où elle succédait à l'air pour s'assurer qu'elle était de l'eau. Ils jetaient aussi des coups d'œil circonspects autour d'eux, vers le silence énorme, la rumeur d'éternité. Ils avaient considéré longtemps cette eau pareille à l'air froid qui les faisait frissonner, aussi peu susceptible d'abriter la vie que la brande flétrie, que le ciel d'un bleu de glace.

Il était toujours tôt et il aurait pu l'être indéfiniment. Ils s'étaient regardés sans parler. Ils étaient revenus à la Traction. Ils avaient tiré du coffre les courtes cannes en fibre de verre qu'ils avaient achetées avec les moulinets à tambour. Daniel n'a même pas monté le sien. Il a dit que c'était trop différent. Ils étaient revenus au ruisseau. La cuiller dorée que Pomme avait fixée à la ligne lançait des éclairs dans la lumière oblique. Daniel n'avait rien dit mais il pensait, à ce moment-là, que c'était inutile, que Pomme aurait tout aussi bien pu pêcher le ciel sans oiseaux. Ils s'étaient arrêtés au bord du pont. L'eau ressemblait à tout ce qu'on voulait, à du verre, à de l'air mais pas à de l'eau. Ils auraient pu compter les grains de sable du fond. Daniel avait alors dit à Pomme qu'il n'y avait rien. Il s'était assis sur la bordure de ciment, au-dessus de l'eau muette. Pomme s'était enfoncé dans la bruyère et les hautes herbes décolorées, en longeant le ruisseau. C'est que, pour lui, ce n'était sans doute que de l'eau et de l'herbe morte, si différentes qu'elles aient été ou paru à Daniel de ce que nous considérions comme tel dans la plaine. Et si tel n'était pas le cas, il avait supposé, sans le dire à Daniel, qu'il n'y avait pas de raison qu'en agissant avec elles comme il avait accoutumé de faire, il ne finisse pas par les obliger à l'être.

Il s'était arrêté à une quinzaine de pas du pont, en aval. Il s'était laissé glisser sur le talus de sable clair, se cramponnant d'une main à la bruyère hirsute, de l'autre balançant la fragile antenne de verre dans l'air glacé. Daniel avait vu l'éclair doré de la cuiller voler à sa rencontre et tomber dans la coulée d'air plus dense, liquide, d'eau, sur le sable et le gravier, à quelques pas de lui. Il distinguait si nettement l'engin, la rotation régulière de la palette en laiton autour de la hampe qu'il avait ouvert la bouche pour le dire (pas le crier, le dire) à Pomme, là-bas, en équilibre instable sur le talus, qui ramenait méthodiquement : que ça ne servait à rien, qu'il aurait mieux fait de pêcher l'air ou la route. Mais déjà il y avait autre chose, un fuseau de gravier sombre qui se serait détaché du fond de gravier pour s'accrocher derrière la palette miroitante et miroiter avec elle. C'est du moins ce qu'il voyait, maintenant, comme au cinéma, quand l'image avait sauté, que quelque chose s'était inexplicablement modifié. Et c'est Pomme qui parlait, disait mince avec une vivacité inusitée, que c'en était une pendant que lui, Daniel, regardait l'apparence non pas d'herbe comme en plaine mais vraiment de sable et de gravier se tordre, jeter de brèves lueurs dans l'eau pareille à l'air froid, pareillement déserte.

Pomme avait glissé. Il s'était retrouvé d'un seul coup dans l'eau mais debout, immergé jusqu'à mi-cuisse, sans avoir cessé à aucun moment de tirer et de rembobiner et alors c'était devenu une truite, une furieuse convulsion d'or et d'acier bruni qu'il avait jetée derrière lui, dans la bruyère. Daniel s'était précipité en criant dans la brande et ils s'étaient retrouvés, Pomme dont les mains tremblaient légèrement et Daniel qui n'y croyait toujours pas, penchés sur le petit poisson féroce, piqueté de rouge, dans les fougères mortes.

Ils avaient recommencé. Daniel s'y était mis avec une sorte de fureur incrédule. Il faisait tourner la cuiller en amont du pont avec l'espoir qu'un poisson allait naître de rien. Il pouvait être midi — c'est ce qu'il estimait, du moins — quand il avait perdu courage. Et comme cela se produisait parfois (pas toujours ni, surtout, régulièrement) lorsque c'était avant, dans la plaine, il avait senti l'antenne de verre vibrer entre ses mains. Une truite, petite, avait jailli de l'eau à ses pieds. Puis une autre avait pris corps, accédé rageusement à l'existence après qu'il eut relancé au même endroit. Ensuite, il avait promené sa cuiller pour rien. Il était revenu à la Traction où Pomme, le bas du corps emmitouflé dans son blouson, l'attendait. Il était près de quatre heures de l'après-midi, ce que Daniel n'avait pas voulu admettre, même après que Pomme eut tiré la manche de son tricot pour qu'il voie sa montre.

Pomme avait pris lui aussi deux truites, la seconde vers midi (celui qu'avait indiqué la montre, près de quatre heures plus tôt). Ensuite, il avait fini par imaginer que l'eau était ce que Daniel avait dit avant qu'ils ne commencent, un caprice de l'air froid des hauteurs. Quoiqu'il eût vidé ses pataugas, tordu son pantalon et ses chaussettes, il s'était mis à grelotter dans l'étincelante lumière. Il s'était réfugié dans la Traction où il avait attendu le retour de Daniel. Ils étaient restés encore un moment, muets, dans l'habitacle. Pomme avait démarré. Le ronflement des six cylindres avait rompu le charme, couvert la clameur du silence. Daniel avait retrouvé sa voix normale pour le dire. Ils avaient quitté la clarté étale des hauteurs pour les bois de sapins où la nuit, le jour, veille. Ils avaient retrouvé le ruisseau ou plutôt la rivière, trouble, écumeuse, dans le crépuscule arrêté des gorges et des encaissements, comme si le temps avait inversé son cours et qu'en dévalant la route tortueuse, ils aient marché au-devant du matin. Puis ils avaient débouché au pied du soir naissant, du ciel jonquille sur la plaine entre les buées vertes, les arbres en fleurs et les premières maisons.

Daniel a dit (ou Pomme) qu'il fallait qu'on y remonte tous les quatre. J'ai dit oui, oui. Alain aussi et tous les deux nous le pensions, le voulions passionnément quand il était manifeste, déjà, que nous ne le pouvions plus. Qu'à l'instant où Pomme ou n'importe lequel d'entre nous disposerait d'une Traction ou de tout autre moyen de quitter pour un jour seulement le creux des collines, la paume entrouverte où nous respirions pour les étendues hautaines du plateau, la mer, l'inconnu lointain, il serait trop tard pour le faire. Nous n'aurions plus le temps.

Alain préparait son examen de première année et on travaillait d'arrache-pied, au lycée. On n'avait pas encore fini les sciences de l'homme. Il restait toute l'esthétique à avaler et il fallait déjà commencer à réviser. Le seul avantage que comportât la fuite accélérée des semaines, c'est que les heures mélancoliques de l'arrière-saison avaient à peine commencé de s'éloigner, elles et tout ce à quoi je les avais employées, les disputes de Hylas et de Philonous, les autres livres difficiles, l'histoire du monde contemporain, etc. et que j'arrivais à peu près à tenir tout ensemble. N'empêche que juin est arrivé comme un express en gare. Quatre jours durant, j'ai philosophé, calculé et commenté dans le réfectoire du lycée transformé en salle d'examen.

Daniel et Pomme étaient remontés deux fois encore à la source, sur le plateau, la seconde une semaine avant le début du bac. J'avais trouvé Daniel au portail du lycée, à midi, alors qu'il aurait dû sortir de Fénelon, à l'autre bout de la ville, ce que je lui avais dit. Il avait eu le geste de se débarrasser de quelque chose d'inintéressant et de léger par-dessus son épaule et nous avions marché un peu ensemble pendant qu'il me racontait. Pomme avait acheté des bottes, des cuissardes, de sorte qu'ils avaient pu alternativement descendre dans l'eau pareille à de l'air froid, ce qui changeait tout. Les truites ne pouvaient plus les apercevoir sur la crête du talus, découpés contre le bleu intense du ciel. C'est comme ça qu'ils avaient pu en prendre des tas — lui quatorze et Pomme quinze. Il a répété ce que nous avions dit, projeté deux mois plus tôt : qu'il faudrait y aller, tous. Que c'était facile, maintenant, et j'ai dit, répété oui, oui, alors que je pensais non.

Ensuite, donc, j'ai passé l'écrit du bac et c'était déjà le mois de juillet lorsque je suis monté subir l'oral à la préfecture. Alain venait juste de rentrer, sa première année de droit en poche. Pomme (je l'ai su après) avait passé à la bibliothèque, le samedi. Mais j'étais resté à la maison pour réviser. Il faisait beau comme jamais à l'exception peut-être de la première fois où ça a été le cas et qu'on s'en est rendu compte. Seulement,

126

c'était comme tout le reste, les hautes bottes, la Traction, la science de l'eau que nous avions mis dix ans à acquérir : c'était trop tard. J'étais toute la journée penché sur mes livres et mes cahiers et je continuais bien après que la nuit eut succédé au vaste et glorieux crépuscule. Le samedi suivant, Pomme a encore fait le détour par la bibliothèque mais alors j'étais à la préfecture.

Nous avions pris le train de six heures quarante. J'avais retrouvé la rivière, bleue maintenant, mais toujours tumultueuse dans la lumière verte des gorges, puis la préfecture. Il n'était pas jusqu'à l'étroite vallée où se serraient, s'écrasaient les fabriques et les sombres maisons de granit qui ne fût relevée de sa disgrâce par l'éblouissante matinée. Nous avions gagné (les admissibles aux épreuves orales) le lycée perché à mi-hauteur pour essuyer, encore époumonés, un feu roulant de questions sur l'industrie du Canada, le souverain bien et le contrat social. Ensuite, il avait fallu attendre qu'on délibère pour lire nos noms — ils y étaient tous — contre la porte du lycée et nous avions attendu encore sur le quai de la gare que la micheline de trois heures nous ramène dans la plaine avec nos lauriers. C'est là que j'avais trouvé le mot de Pomme, un prospectus d'une marque d'enjoliveurs portant au dos l'écriture régulière, bien ronde, qu'on nous avait appris à faire à l'école primaire, quand nous y étions tous ensemble, avec Alain et Daniel. Daniel avait devancé l'appel, c'est-à-dire — je savais lire — que son père l'avait obligé à s'engager.

Alain a passé le soir même. Il m'a indiqué ce qu'il convenait de penser du bac. Il m'a raconté les épreuves de droit constitutionnel et de droit administratif qu'il avait subies puis nous avons parlé de Daniel, de leurs pêches, avec

Pomme, en Traction, sur le plateau. J'ai dit que c'était fini et que c'est maintenant que je le sentais vraiment. Lui, Alain, il savait depuis longtemps. Pas seulement depuis le mois de juillet de l'année d'avant qu'il était devenu bachelier mais de bien plus loin : depuis qu'il était entré en première et qu'il avait regardé les choses en face. Il avait bien vu que nous n'étions pas destinés à rester ensemble. Que nous n'étions pas les mêmes. Que d'ailleurs, nous ne l'avions jamais été, même lorsque nous pêchions dans l'arbre, qu'il nous semblait que nous l'étions ou que nous pouvions ne pas même avoir à nous le demander puisque nous pêchions ensemble au-dessus de notre tremblant reflet. Il a dit que c'était comme ça depuis le début : que Daniel était une tête brûlée et que Pomme finirait garagiste. J'ai dit qu'il aurait pu, Pomme, faire autre chose que de vidanger des voitures. Que je le croyais parfaitement capable d'avoir le bac. Que ce n'était rien du tout pour un gars comme lui — et je le pensais en le disant ; j'ai même eu l'impression fugace que je le pensais beaucoup plus qu'Alain ne m'avait dit le faire, l'instant d'avant. Il a dit : peut-être bien. Puis : que ça s'était fait comme ça. Que de toute façon, il était trop tard, qu'il fallait regarder l'avenir. Et moi que c'était précisément le contraire. Que j'avais d'autant moins envie de partir — je partirais à Clermont étudier les lettres, à l'automne — qu'il n'y aurait plus Pomme ni Daniel. Ni l'arbre, ai-je ajouté, ni la rivière ni plus rien de ce que nous avions eu ou fait sans soupçonner, à part lui, qu'à peine commencerions-nous de l'avoir vraiment, de le faire bien, que ça nous serait retiré. J'ai dit que je ne savais pas encore ce que ce serait, après, à Clermont et après, encore, où que ce fût. Mais ce dont j'étais sûr, c'est que ce serait moins bien qu'avant parce qu'il y manquerait tout ce qu'il y avait eu avant alors qu'avant, il ne nous manquerait rien si ce n'est, à la fin, le temps pour que ça continue. Alain n'a pas répondu. Et c'est à ce moment-là que j'ai pensé qu'avec lui aussi, c'était fini mais que ce n'était pas pour la même raison qu'avec Daniel et Pomme, parce que je partais alors qu'ils restaient. Non, c'est parce qu'il considérait que c'était fini.

VIII

Ce qui restait du mois de juillet, je l'ai passé en Allemagne. Je n'ai même pas défait mes valises. Je suis aussitôt reparti dans les Pyrénées où il n'a pas cessé de pleuvoir. Mais ici aussi — maman me l'a dit —, il avait beaucoup plu et le temps commençait à peine à se rétablir. J'aurais pu, une fois encore, ne toucher à rien, poser dans un coin mes bagages puisque j'allais repartir encore et pour longtemps. Mais il fallait marquer mon linge.

La bibliothèque était fermée. Alain était en Espagne, avec ses parents. Il m'avait envoyé une carte. Pomme, je ne savais pas. J'aurais pu revenir à la rivière. J'aurais sûrement fini par démêler les secrets rapports de l'air et de l'eau mais je n'aurais trouvé personne qui m'assiste ou que cela intéresse de savoir comment je m'y étais pris, qui partage rétrospectivement le trouble et la fièvre, l'attente de midi. Et puis, l'arbre était tombé, parti sans doute avec la rivière.

Je suis donc resté à la maison à lire, dans la torpeur d'août finissant. On avait toujours l'impression, vers cette époque, que le temps se figeait, comme en février. Que la même journée atone et voilée tournait sur elle-même à ceci près

130

qu'elle préludait aux maléfices de l'automne et non à l'éternel printemps.

Il n'était pas beaucoup plus de sept heures quand Pomme a passé. J'étais près de la fenêtre, avec mon livre. Il y a eu un éclair argenté dans le soir : c'était la Traction. Je suis descendu à la rencontre de Pomme. Il tenait une feuille de journal pliée en quatre. Il me parlait, de loin. Le type, le noir, il serait à Paris. Il a déplié son papier : c'était le même visage, le même regard un peu fou dans le masque osseux et, en dessous, la date et l'endroit — le dimanche 2 septembre, porte de Versailles, à Paris. Je ne savais plus trop où nous en étions, quel nom donner à la journée mélancolique, toujours la même, me semblait-il, qui revenait chaque matin. Pomme a dit vendredi et moi que c'était trop tard. Il a dit que ça pouvait encore se faire et moi que je partais lundi matin et que Daniel. Et lui : attends. Et moi : et Daniel. Et lui : justement. J'avais encore la main levée, comme si elle avait mimé l'envol dédaigneux de toutes les occasions qui se présentaient puisque nous étions séparés et que chaque jour — je le savais — ajouterait à notre éloignement. Au point qu'un jour, un jour normal, comme les autres, nous ne nous souviendrions sans doute même plus d'avoir partagé les branches d'un arbre naufragé. C'était, un peu, avec ma main levée, la bouche entrouverte, comme si j'avais vu Pomme depuis ce jour éloigné, à des années de là, où j'aurais oublié son visage mais aussi l'aulne, l'eau et le matin. Il y a quand même quelque chose qui m'échappait, que je concevais mal dans ce jour tardif d'où il me semblait que je nous voyais, Pomme et moi, sous le soir d'août finissant : c'était ceux qu'alors nous serions devenus pour oublier.

Pomme avait dit : justement. Il était — je le voyais —

comme il n'avait jamais cessé d'être, carré, calme, réel, beaucoup plus qu'aucun de nous trois, Alain, Daniel et moi. Que pour Daniel, il allait voir. Il l'avait déjà vu fin juillet, après le premier mois, qu'on accordait quarante-huit heures de permission aux engagés. Le 126e venait de passer quatre jours en manœuvres dans les collines, au sud de la ville, derrière le champ de tir. J'ai demandé comment il avait supporté tout ça, Daniel, les marches et le reste. Et Pomme, de sa voix tranquille qui faisait penser ou supposer que rien n'était jamais, pour lui, beaucoup trop amer ou brutal pour qu'on puisse le supporter autrement qu'en criant et en gesticulant ou si beau qu'il fallait à toute force agiter la main, en disant purée ou punaise, Pomme a dit : un peu trop bien. Puis il a ajouté qu'il fallait que je voie Alain ce soir ou demain au plus tard parce qu'il passerait nous prendre à six heures, dimanche et qu'il lui fallait, à Alain, le temps de se préparer. Il n'a pas eu un mot pour moi qui devais partir le lundi à la première heure, à Clermont, moi qui n'avais jamais rien demandé et surtout pas à m'absenter la veille d'un grand départ. Il a dit encore six heures et qu'il faudrait emporter à manger. Il est remonté dans la Traction.

Je suis rentré pour essayer d'exposer l'affaire à maman. Elle ne m'avait jamais rien refusé ou plutôt elle s'était toujours arrangée non seulement pour éviter que je sois dans le cas d'avoir à lui demander quoi que ce fût mais pour qu'il ne me vienne même pas à l'esprit qu'elle avait mis tous ses soins à faire qu'il en soit ainsi, que ça ne me vienne pas à l'esprit. Papa n'était pas encore rentré mais il n'allait plus tarder. Je suis parti à pied par les rues vides du dernier soir d'août. Tout était fermé, chez Alain, et la pelouse, les trois brins d'herbe de part et d'autre de l'allée de gravier, étaient montés en graine. Je suis revenu. Papa était là. Il a seulement dit qu'il pensait que nous serions prudents.

Le lendemain, c'était comme la veille, le ciel tendre et voilé, le silence stupéfié de la ville déserte, encore, du matin désœuvré. Même en le disant à mi-voix — c'est septembre —, c'était pareil. J'ai trié pour la dixième fois les livres en petit nombre que j'emporterais. J'ai essayé de lire mais je n'y arrivais pas. Je regardais les caractères imprimés sur la page. Quand je finissais par m'en apercevoir, je m'appliquais à les voir de telle sorte qu'ils deviennent des mots, que je sois en train de lire. Mais je me surprenais l'instant d'après, à regarder sans la voir la même page. A trois heures, je suis revenu chez Alain. Rien n'avait changé. J'ai failli pousser jusqu'au garage pour le dire à Pomme. J'ai marché en direction du boulevard. Je préparais ce que je dirais dans le vacarme des moteurs poussés à bout, la lueur de foudre des arcs électriques : que c'était trop tard. Que ce n'était plus la peine. Au pied du grand hôtel, j'ai encore murmuré que c'était trop tard. Mais je ne marchais plus. J'ai fait demi-tour. La taie, au ciel, se dissipait. Quand je suis arrivé à la maison, il était tout entier du bleu profond qu'il prend en avril sur les arbres en fleurs. J'ai repris mon livre sans qu'à aucun moment il se mette à représenter autre chose que d'évanescentes herbes et de fuyantes eaux. C'est ainsi qu'il a été cinq heures. La lumière jaunissait. J'ai failli pousser directement jusqu'au garage. J'ai quand même fait le détour par chez Alain. Les volets étaient ouverts. Alain était devant la maison en train de vider la voiture.

Il m'a vu et j'ai vu qu'il ne s'attendait pas à me voir. Il était hâlé. Il est venu à moi, un panier d'osier à la main, les sourcils levés, disant : qu'est-ce que, tu ne devais pas ? J'ai dit si. Il a encore ouvert la bouche et j'ai fait, dit comme Pomme : attends. A ce moment-là, son père est apparu derrière lui. Je suis allé le saluer, répondre aux questions qu'il m'a faites — oui, lundi, un peu, oui, non, oui — après quoi il a empoigné un faisceau de piquets et une glacière portative et j'ai pu me tourner vers Alain. J'ai dit : attends. Je lui ai expliqué ce qu'on pouvait faire encore, même s'il restait fort peu de temps pour le faire. J'ai dit aussi qu'il lui faudrait demander à ses parents, à son père. Il a pris un air spécial — dédaigneux, rassis, tranquille — pour dire que là n'était pas la question. Son panier d'osier à la main, il regardait l'herbe jaunie. Sa mère ouvrait les volets, à l'étage. Je l'ai saluée. Alain continuait son inspection. J'ai dit que puisqu'il n'avait même pas besoin de demander. J'ai repris : il me semblait que c'était la dernière fois. Qu'il devait, lui qui était parti depuis un an, s'en rendre compte mieux que moi. Il a hoché la tête sans quitter la pelouse des yeux et il a dit : bon. J'ai dit que ce serait bien. Que ce ne l'aurait pas été sans lui. Je le pensais vraiment. Il a répété bon, d'accord. J'ai dit que Pomme passerait à six heures avec la Traction parce qu'il voulait nous montrer la source, sur le plateau, et aussi qu'on pourrait voir un peu Paris. Alain a dit qu'il avait un plan de Paris. J'ai dit que c'était bien et je suis rentré sous le soir du premier septembre.

J'ai vérifié à plusieurs reprises que mes bagages étaient prêts — la grosse valise et la petite malle remplie de livres que j'emporterais à Clermont, le lundi. Je me suis couché tôt mais je n'arrêtais pas de me représenter notre départ en Traction, à quelques heures de là, ou bien celui du train de huit heures qui m'emporterait, le surlendemain. Les aiguilles verdâtres du réveil ont marqué onze heures, minuit. Ensuite, j'ai cessé de regarder de ce côté. Plus la nuit s'avançait, moins il me semblait que je finirais par ne plus voir, imaginer malgré moi, l'aurore ou des monuments de Paris. Pourtant, j'ai dormi. Je dormais quand le réveil a sonné. Pendant un court instant, ce n'était d'ailleurs pas le réveil mais la sonnerie du lycée. Je venais à peine de commencer à rédiger. C'est pourquoi je m'appliquais, je me hâtais de tracer des caractères inintelligibles sur la feuille immense qu'on m'avait remise pour l'épreuve. J'ai pensé que si je ne tenais pas compte de la sonnerie, ce serait peut-être comme si elle n'avait jamais retenti, marqué la fin inopinée, injuste, de l'éclatante matinée. Il m'est alors venu cette orgueilleuse certitude : que j'avais le bac et que je pouvais parfaitement planter là le lycée, leur feuille, les grimoires dont je la couvrais. Puis je me suis souvenu que c'était le matin. J'ai calotté maladroitement le réveil et j'ai ouvert les yeux. Je me suis trouvé si lourd, si gourd, que même l'idée de partir restait sans effet sur la masse fondue, ténébreuse qu'il fallait mouvoir, soulever. Il faisait nuit. C'était le deux septembre. J'ai quand même fini par descendre m'asseoir sur le perron avec mon tricot sur les épaules et la poche en papier qui contenait mes deux repas. J'étais en avance. L'obscurité régnait jusqu'à hauteur des lampes, d'un éclat intact sous leur coiffe de tôle. Au-delà, le ciel, ou ce que j'en voyais, s'était simplement dissocié du bord des toits d'ardoise, d'un gris moins dense, violacé, où j'ai reconnu de fragiles étoiles. Je frissonnais depuis un bon moment lorsqu'il m'est venu à l'esprit de passer le tricot que maman m'avait obligé à prendre.

Quand j'ai fini par émerger de l'encolure, une voiture venait de s'engager dans la rue, à gauche. Ce n'était pas la

Traction. J'aurais reconnu les yeux ronds de ses veilleuses. J'ai suivi son approche silencieuse, identifié une DS d'un nouveau modèle, avec des phares orientables. Et même quand elle est venue se ranger contre le trottoir, à trois pas de moi, j'avais une idée si nettement arrêtée de ce qui arriverait, devait se produire, que je n'ai pas bougé. J'attendais. Il a fallu que la portière s'ouvre, celle de droite, devant, et que j'entende la voix de Pomme pour commencer à bouger, à essayer de percer l'ombre de l'habitacle. Pomme était au volant, juste derrière sa voix. Il a dit encore : arrive, avant que je me mette à mon tour à parler, à demander ce qu'il avait fait de la Traction. Sa voix basse, paisible, même dans la nuit finissante et froide, même dans la DS a répété pour la troisième fois son invite : amène-toi. J'ai quitté ma pierre. Je suis revenu chercher ma poche en papier. Je me suis penché vers l'intérieur, la main sur la vitre (il n'y avait pas d'encadrement métallique) pour dire que je croyais qu'on devait y aller avec la. Mais Pomme regardait droit devant lui la rue anuitée, une main sur le volant, l'autre sur le levier de vitesse. Je me suis installé, intimidé, à côté de lui dans l'odeur composite de neuf où l'on discernait celles du plastique, de la peinture, du feutre et un léger relent d'eau de toilette.

On se rendait compte qu'on roulait au glissement silencieux des maisons endormies, des vitrines obscures. Alain attendait devant le portail de son jardin. Il a fait comme moi. Il s'est mis, lui aussi, à dire mais, à demander à qui appartenait la voiture, même après qu'il m'eut entendu, reconnu. Je lui ai dit de monter, ce qu'il a fait sans cesser de parler et sans plus de succès que moi. Pomme qui avait redémarré lui a dit d'attendre un peu qu'on ait récupéré

Daniel — ceci d'une voix qui n'était pas tout à fait celle que nous lui connaissions et qui faisait supposer qu'il n'y avait nulle place en lui pour l'effroi, l'émoi, la crainte, la triste imagination. Mais tout alors était insolite, la nuit du matin, les rues mortes, l'odeur de plastique et jusqu'à l'idée que nous partions pour Paris quand il me revenait que c'était la nuit, l'odeur du plastique et que nous partions. Pomme avait pris droit au sud. Au-dessus du boulevard, le ciel passait au mauve. Les feux à l'orange clignotaient. Nous avons suivi la route de Toulouse. Pomme a pris à gauche une petite route le long de laquelle les maisons s'espaçaient. Elle bifurquait deux ou trois kilomètres plus loin entre des boqueteaux de chênes rabougris. On a roulé jusqu'à ce qu'on atteigne un croisement. Un transformateur se dressait au bord de la route. Pomme a arrêté la voiture tout contre les arbres, à trente pas de la construction en béton. Il a éteint les phares et coupé le contact. Alain a demandé où était Daniel. Pomme a désigné le taillis, la lande rase, le transformateur et sa main est retombée sur le volant. Ce serait comme la veille, un jour paresseux, tiède et voilé qui se déclarerait peut-être avec le début de l'après-midi. Alain soufflait par le nez. Les feuilles de chêne, derrière la vitre, avaient maintenant la nuance mate, poudreuse, qu'elles prennent à la fin de l'été. Alain a fait observer qu'il était sept heures moins vingt et que Daniel aurait pu se remuer. Deux détonations aiguës ont déchiré le silence, pas très loin, suivies d'une longue rafale dans un registre différent, plus grave, plus sérieux. Il faisait jour. Nous avons attendu, penchés en avant, qu'il se produise autre chose.

D'abord, j'ai cru que je me trompais, que c'était une branche de chêne que le vent agitait, une illusion, comme nous en avions, dans l'aulne par des matinées de dimanche pareilles à celle-ci, à force de chercher des jeux de l'eau qui ne soient pas de l'eau. J'ai plissé les paupières. L'arbre ne bougeait plus. De toute façon, il n'y avait pas un souffle de vent. Je relâchais doucement la provision d'air que j'avais faite pour parler quand une ombre a passé — je l'ai vue — dans l'ombre ajourée du boqueteau, derrière le transformateur. J'ai dit : là. J'avais le doigt contre la vitre. Je disais : là, là. Pomme a poussé deux fois un petit levier. La lueur pâle des phares a couru sur la banquette. L'ombre s'était figée tout contre la lisière. Je suis sorti de la DS. J'ai crié doucement, agité les bras. L'ombre s'est mise en mouvement. Elle courait lourdement vers nous, difforme, tout empanachée de feuilles. J'ai reconnu Daniel quand il dépassait le transformateur.

Il tenait un gros fusil compliqué en travers du corps. Les bandes de cartouches qu'il portait en sautoir tintaient contre les boucles et les agrafes de son sac à dos. Sa figure était noire mais ce n'est pas ça, pas seulement, qui la rendait différente, durcie, aiguisée, ni, à la réflexion — si j'ai réfléchi, s'il y avait place pour la réflexion —, le casque hérissé d'herbe et de rameaux qui lui descendait jusqu'aux yeux. J'entendais sa respiration bruyante dans le cliquetis métallique qu'il faisait. Une grimace découvrait toutes ses dents au milieu du masque funèbre. Il s'est arrêté tout contre moi. Il a dit : phutain, dans le souffle rauque qui lui labourait la poitrine. Il montrait la DS, du menton. J'ai dit : monte. Il a répété : phutain avec le même accent énergique, incrédule. Il a engagé le gros fusil, auquel une bande de cartouches restait accrochée, dans l'habitacle. Je tenais la portière pendant qu'Alain, dedans, halait l'extrémité de l'engin. Pomme avait remis le contact. Je n'avais même pas refermé la portière qu'il amorçait un demi-tour qui nous a conduits sur la banquette opposée avant de nous ramener sur la route, en sens contraire. La bifurcation est arrivée tout de suite. Pomme a pris à droite, sans ralentir et les pneus ont commencé à pousser de petits cris douillets avant que la route ne se redresse. Entre deux lambeaux de taillis, j'ai surpris la ville, comme une poignée de gravier oubliée au creux des collines. Nous roulions vers l'est à cent à l'heure.

Nous longions la rivière, grise sous le ciel gris perle, dans la lumière verdâtre des gorges, quand Alain a dit, derrière, que c'était de la graisse et qu'il en avait partout. Daniel avait retrouvé son souffle. Il a dit que oui, sous ses branchages flétris. Puis il a ajouté à l'adresse d'Alain qu'on n'avait pas idée non plus de s'habiller comme ça. Je me suis retourné. Alain portait une chemise bleu lavande sous sa veste tabac — ce à quoi je n'avais pas pris garde parce qu'il faisait sombre et que nous montions à Paris. Pomme a tourné la tête pour dire à Daniel de faire attention à la banquette, de poser son truc sur le plancher. Il avait l'air de trouver normale l'abondance de graisse qui avait maculé le pantalon d'Alain. La DS devait être dûment vérifiée et astiquée le lendemain matin.

Elle l'était déjà, la veille au soir, à sept heures, que Pomme avait quitté le garage pour rentrer dîner. En fait, il était (aurait dû être) encore en vacances mais le patron, qui rentrait d'Argelès, avait passé chez lui vers quatre heures. Il lui avait demandé de procéder à la révision des dix mille et de faire briller le tout, pour le lundi matin. Pomme avait donc conduit la DS au garage pendant que le patron repartait pour l'Allier avec l'Austin de sa femme et sa femme. Pomme avait monté la DS sur le pont dans l'atelier désert, changé l'huile, contrôlé la garde d'embrayage, le point d'avance, remplacé le filtre à huile, vérifié les niveaux de freinage et de refroidissement, la tension des courroies et l'orientation des phares. Il avait vidé le cendrier, aspiré le sable et les aiguilles de pin. Quand il avait sorti la DS, le soir tombait. Il l'avait lessivée sur l'aire cimentée, rincée au jet et garée dans le box en planches, derrière l'atelier. Il avait dîné puis il s'était soigneusement lavé. Au début, après les vacances, il arrivait encore à faire disparaître les traces de cambouis. Ensuite, il en avait la peau, le pourtour des ongles incrustés et ça restait jusqu'au mois d'août suivant.

La nuit était venue quand il est ressorti. Il ne se pressait pas. Il voulait garer la Traction en bas de chez lui pour ne pas perdre de temps, le lendemain matin. Il s'était dit qu'on en avait si peu que dix minutes — celles qu'il lui fallait pour se rendre à la remise — n'étaient pas à négliger. Il n'avait même pas allumé. Il avait démarré et débrayé pour enclencher la première. Il considérait, à ce moment-là, que c'était déjà si compliqué, difficile, incertain (d'être ensemble et de le rester tout un jour et une partie de la nuit suivante) qu'il n'avait pas admis ce que sa main droite sur le levier de vitesse et son pied gauche sur l'embrayage avaient compris immédiatement. Il avait continué à pousser sur la pédale et le levier, longtemps et fort, par rapport à ce qu'il faut habituellement pour passer du point mort en première, avant de commencer à tenir compte de sa main et de son pied. Il avait lâché la pédale et le levier. Il avait posé les mains sur le volant, regardé d'un air qu'il voulait serein, dégagé, le bout de ruelle que les phares tiraient de la pénombre. Quand il avait recommencé, il s'était arrangé pour le faire comme s'il ne recommençait pas vraiment, comme si ce n'était pas la deuxième fois qu'il sollicitait la boîte de vitesses. Il avait débrayé à fond, poussé le levier normalement. Puis il y avait mis toute l'énergie dont il était capable sans pour autant quitter le point mort. Ses mains étaient revenues sur le volant. Il avait relâché doucement la pédale et il s'était mis à comprendre. Il a repris pour dire que ce n'était pas exactement ça. Il avait compris tout de suite, son pied gauche et sa main droite, dès que le levier avait refusé de suivre, dès la première fois. Il s'agissait maintenant de comprendre tout entier, au moment où il pouvait se dire qu'il avait fait tout son possible. Qu'il n'y avait plus qu'à laisser le temps passer, qui est à peu près la seule chose, avec l'eau des rivières et le vent dans les arbres, à se faire, s'accomplir d'elle-même sans nous coûter de temps, de peine, de souci.

Il avait coupé le contact, éteint les phares. Il était resté encore un peu dans l'ombre et le silence mais il avait complètement compris. Il réfléchissait. Il est sorti de la Traction. Il a allumé le néon qu'il avait lui-même fixé avec des chaînettes aux solives vermoulues de la remise. Il a posé sa chemise propre, levé le capot et sorti sa mallette de clés. Il a déboulonné le carter de la boîte pour palper sous leur graisse les engrenages des trains baladeurs, la réglette et le clabotage. Il était près de dix heures lorsqu'il est rentré chez lui pour prévenir et aussi pour prendre un gros tournevis et passer sa combinaison. Des odeurs d'herbe, de prunes blettes flottaient dans les rues. Il a regagné la remise. Il a dit qu'en revenant parmi les parfums d'herbe lasse et de fruits écrasés, il avait presque oublié. Il avait retrouvé la Traction comme il l'avait laissée, les tripes à l'air dans son odeur de graisse minérale et de métal froid, buté. Il s'était remis à tripoter les trains baladeurs, à pousser la fourchette en se servant de son gros tournevis. Il était seul. Il lui avait fallu casser un bout de bois pour coincer l'embrayage. Une bonne femme avait crié dehors, dans l'obscurité. Il était sorti, pour voir. Il entendait mal, avec la clé dont il se servait pour couper son bout de bois à la bonne longueur. Il ne voyait rien mais la bonne femme, la voix le voyait, lui, dans le cube de lumière bleuâtre du néon. Elle l'avait traité de plusieurs noms outrageants avant de signaler qu'il était minuit passé et qu'il pourrait peut-être attendre le lendemain, ou du moins le matin puisque c'était déjà le lendemain, pour taper avec un marteau. Il avait répondu à la voix que c'était une clé et pas un marteau. L'obscurité avait encore jeté quelques mots blessants pendant qu'il finissait rapidement d'écraser, de marteler des esquilles. Il avait recommencé à peser de toutes ses forces sur les engrenages avec son tournevis. C'était la nuit. Il n'avait pensé au matin qu'à partir du moment où il avait fini par se rendre à l'évidence que la boîte était morte. Il était alors presque une heure et c'est surtout à Daniel, qui risquait des ennuis pour rien, qu'il pensait. Il avait calculé qu'il lui faudrait se mettre en chemin un peu avant cinq heures pour être à six dans les collines et prévenir Daniel si toutefois Daniel avait réussi à atteindre le transformateur. Pour nous (Alain et moi), nous finirions bien par comprendre tout seuls que c'était fini avant même d'avoir commencé et nous avions la ressource de nous recoucher. Il s'était tenu un bon moment à ce parti, assis sur une caisse vide, le dos à la paroi de planches, les bras ballants, saucés de graisse jusqu'aux épaules. Il aurait dû aller se coucher mais ça faisait cinq heures qu'il ferraillait avec le train baladeur, la réglette et la fourchette et il se demandait s'il n'allait pas dormir sur sa caisse. Il s'en fallait d'à peine quatre heures qu'il reparte en direction des collines, à pied. L'air de la remise était tiède. Il avait dû sommeiller une fraction de seconde. La DS s'était dessinée tout de suite dans le noir. Il avait ouvert aussitôt les yeux dans la lumière froide. Il s'était soulevé avec effort. Il avait éteint, fermé les portes de la remise et il était rentré chez lui par les rues mortes.

Il s'était couché. Il s'était relevé tout de suite. Il avait encore essayé d'enlever ce qu'il lui restait de cambouis aux poignets, à la saignée du coude. Il avait raflé en passant un bout de pain et il était reparti dans la nuit (la même) qui n'avait encore cédé nulle part. La DS, noire, brillait comme un miroir quand il avait ouvert le box. Il s'était installé en concentrant toute son attention sur les gestes simples qu'il avait à faire — tourner la clé, débrayer, passer la marche arrière, desserrer le frein à main et sortir lentement. Il a dit que c'était du gâteau. Qu'il l'avait vraiment réglée comme une horloge. Ensuite, il nous avait cueillis l'un après l'autre.

Maintenant, c'était vraiment le jour. Une taie couvrait le ciel, ou du moins l'étroit créneau qu'on en voyait, du fond de la gorge. La rivière, en contrebas de la route, poussait une eau lourde, pareille à de l'huile, entre les rochers. J'ai dit que ça se lèverait, comme hier, en début d'après-midi. On a dépassé les carrières qui marquaient la moitié du chemin et Pomme est entré, un peu vite, dans les tournants. Je me suis agrippé à ma portière. Alain s'est remis à râler, derrière, de ce ton un peu méprisant qu'il avait pris depuis qu'il étudiait le droit. Pomme a accéléré pour nous sortir du virage et on s'est engagé dans le suivant encore plus vite que dans le premier. Les pneus hululaient. Alain, qui arrêtait tout juste de râler, a recommencé, excédé, comme s'il allait pleurer. On est sorti de la double épingle à cheveu et j'ai pu regarder.

Alain se tenait la moitié gauche du visage (il était assis à droite) et faisait la grimace en regardant Daniel d'un air méchant. Daniel fixait la nuque de Pomme, les mains ouvertes sur la banquette en signe d'impuissance et d'humilité. Il m'a regardé. Il a dit qu'il s'endormait, qu'il avait passé deux nuits à. Mais Alain a dit qu'il aurait pu enlever son casque. Et, à moi, qu'il l'avait pris en pleine figure, deux fois. Pomme, qui surveillait la route, a observé qu'en plus ça dégagerait la vue sur l'arrière.

Daniel a débouclé la jugulaire avec des gestes maladroits et soulevé le dôme d'acier orné de verdure. Il en avait un autre, dessous. Je l'ai dit à Pomme qui a jeté un coup d'œil dans le rétroviseur. Alain se tenait toujours la moitié de la figure et gardait son air rancunier. Daniel a dit que c'était son casque lourd. Il l'a posé à ses pieds. Il a dit que l'autre était en plastique. C'était vrai. Pomme a dit qu'il pouvait l'enlever aussi. Qu'il ne risquait plus rien. Daniel nous a lancé un regard perplexe puis, brusquement, il a enlevé le casque en plastique et j'ai dit mince, j'ai ri. J'ai répété mince. Pomme s'est retourné carrément, malgré la route qui épousait chaque feinte que la rivière faisait en fuyant vers la plaine. On a ri tous les trois, même Alain derrière sa main. Daniel a dit bon, d'accord, bon, mais on continuait à rire, même Alain, comme on ne l'avait pas fait depuis longtemps. Daniel a répété que c'était fini, que ça allait, puis il s'est mis à rire à son tour. Il ne devait pas lui rester plus d'un demi-centimètre de cheveu sur le crâne, de sorte qu'il paraissait, simultanément, plus âgé que nous, avec la saillie des pommettes et de la mâchoire, l'arête du nez, et plus jeune. Comme si les deux mois qu'il avait passés à la caserne l'avaient simultanément tiré loin en avant de l'été finissant, vers les heures que j'imaginais apaisées, aplanies, où nous aurions trente ou quarante ans, où nous aurions le temps, et ramené au seuil même de l'espèce de grand rêve confus que nous avions fait ensemble jusqu'à cet instant où il allait finir. Je suis resté à regarder Daniel qui regardait obstinément la paroi toute proche de rochers en disant bon, allez, c'est fini.

On a dépassé des hangars, des garages. On arrivait à la préfecture. On l'a traversée en coup de vent. La route, ensuite, montait à l'assaut d'escarpements que je ne connaissais plus, les rampes du plateau. Il a fallu que je m'agrippe de nouveau à la portière. Cette fois-ci, c'est Daniel qui a protesté. Et Pomme a répondu que ce n'était pas lui qui avait tracé la route et qu'il n'avait qu'à se cramponner.

Daniel a dit que ça faisait deux nuits qu'il ne dormait pas. La première, ils n'avaient pas arrêté de marcher à travers bois, avec sa section, pour surprendre les rouges — il avait, lui, un brassard bleu — qui étaient censés occuper une vallée sèche. Ils s'arrêtaient tous les cent mètres pendant que les éclaireurs s'éloignaient, courbés en deux, dans l'ombre épaisse du sous-bois. Finalement, il n'y avait personne. Le F.-M. lui cassait les bras : Alain a demandé quoi. Et Daniel : le fusil-mitrailleur, et sa botte a fait sonner l'engin plein de graisse couché sur le plancher, entre les banquettes. Ils s'étaient dissimulés dans le taillis, à mi-pente. Il avait dormi un peu, vers midi. Un souffle strident l'avait réveillé en sursaut et il avait eu le temps d'entrevoir un hélicoptère passant sous eux, collé au fond de la vallée comme un chien, comme les libellules-tigres (celles, striées de noir et de jaune, que nous appelions ainsi) que nous pouvions voir, de l'aulne, évoluer au ras de l'eau. Peu après, le soleil avait percé et ils avaient eu chaud. Ils étaient repartis vers le sud, sans quitter

145

le couvert. Le soir les avait trouvés si loin qu'il avait perdu jusqu'au faible espoir, qu'il avait conservé tout le jour, de nous rejoindre. Ils avaient encore marqué une pause. L'hélicoptère avait repassé, mais loin d'eux, du côté de la route qu'ils évitaient soigneusement. Avec la nuit, ils étaient revenus sur leurs pas. Ils progressaient si lentement qu'il n'envisageait rien d'autre que le moment où il pourrait poser son barda et le F.-M. dont la courroie lui sciait les épaules. Il fermait les yeux lorsque la colonne s'immobilisait. Il les ouvrait dès que les boucles, les bandes de cartouches, les culasses et les bidons se remettaient à tinter dans l'obscurité. A la fin, il ne les ouvrait même plus. Il était rentré dans le type qui le précédait avec toute sa ferraille. Il avait cherché à savoir ce qu'il faisait pendant que l'autre, devant, l'engueulait à voix basse. Ils étaient deux, maintenant : le petit hargneux qui continuait à l'engueuler sous ses branchages et le sous-officier qui lui montrait une ombre indécise sous le ciel noir. Il avait écarté le nabot avec le bout de son fusil et il s'était remis à tinter tout seul jusqu'à ce qu'il atteigne la lisière proche où il devait se poster en embuscade. L'ombre verticale, c'était le transformateur sous le ciel violet. Il avait laissé tomber le F.-M. dans l'herbe grise, poudreuse. Il ne lui venait pas à l'idée qu'il pouvait cesser de marcher sur place, intervenir dans le jeu alterné de bottes qui se poursuivait plus bas, à des distances sidérales. Ceci jusqu'à ce qu'il découvre que le transformateur était le transformateur et que le jour se levait. Et aussi que des ombres furtives glissaient sur la route violette, comme le feuillage des arbres, le ciel, comme si on avait renversé un encrier sur la campagne. Il avait dû entendre, derrière lui, où le reste de la section se trouvait, des appels étouffés, des galopades à travers les feuilles. Mais il n'avait pas bougé. Il pensait au transformateur et, de nouveau, à la Traction, à nous qu'il avait oubliés depuis que la nuit était tombée. Le jour se levait. Il s'était accroupi dans l'herbe grise, face au transformateur gris qu'il avait indiqué à Pomme lorsque Pomme était venu l'attendre à la grille de la caserne, la veille des manœuvres (le jeudi) pour lui dire que le type, le Noir, l'Américain allait se produire à Paris. L'aube grise s'était mise à bourdonner. Il avait oublié la fatigue des deux nuits de marche, ses jambes pareilles à des blocs de ciment qui l'auraient entraîné irrésistiblement s'il avait été, par exemple, dans l'eau et non pas accroupi dans l'herbe sèche des collines. Il avait identifié aussitôt le bourdonnement. C'était une voiture et ce n'était pas une Traction. Il avait reconnu la DS quand elle était sortie de la déclivité, avec ses phares carénés. Ce qui l'avait surpris, c'est qu'elle vienne se ranger contre le taillis, à trente mètres de l'autre côté du transformateur. Il avait songé à des gradés venus assister au déroulement des opérations (il ne voyait pas nos têtes, derrière le pare-brise miroitant) mais ils roulaient en 403 noire. Puis une autre pensée avait pris corps : à savoir que le patron de Pomme venait d'acheter une DS 21 et que c'était la première — et la seule — qu'on ait encore vue dans toute la ville. Et sûrement, même, dans tout le département car c'était la sous-préfecture qui donnait le ton, et non pas la préfecture, étriquée, triste, toute noire dans son encaissement.

Il tintinnabulait pesamment quand les rouges l'avaient repéré. Il avait vu la lueur blanche des coups dans la profondeur du sous-bois, de l'autre côté. Il avait appuyé sur la détente du fusil-mitrailleur qui s'était mis à lui secouer brutalement les bras en crachant des éclairs orangés, des étuis vides et des agrafes. Il avait couru sur la banquette avec ses jambes de ciment, hésité dans l'ombre des arbres puis il m'avait reconnu. Pomme avait fait les appels de phares et c'est comme ça qu'il nous avait rejoints.

Il m'a semblé que le jour se levait une seconde fois ou qu'il se remettait en marche après avoir marqué une halte prolongée. Le bruit du moteur avait changé aussi. Pomme a dit que nous étions sur le plateau.

Le ciel était partout. Pas seulement sur nos têtes comme on s'était contenté de le supposer tout le temps qu'on avait roulé dans les gorges puis le long des pentes où Pomme n'arrêtait pas de changer de vitesse, mais devant, dans le pare-brise et sur les côtés où il touchait la toison courte de bruyère et d'ajoncs. Pomme a désigné au loin l'étroit et noir sourcil des bois. Le jour ou plutôt la lumière plus vive où nous roulions avait dissipé l'engourdissement où j'avais agi, attendu, depuis le réveil. Même Daniel s'était redressé sur la banquette arrière. Alain nous racontait ses vacances en Espagne. Je regardais l'inclémente litière où les premiers sapins surgissaient, pareils à des guetteurs isolés sous leur lourde, leur inamovible houppelande. Les maisons, les jardins avaient disparu et avec eux, subitement, les raisons ou l'apparence de raison que nous avions, chacun, de faire ce que nous avions accoutumé, d'être ce que nous étions devenus, mécaniciens, soldat, étudiant. Il m'a semblé, quand tout allait finir, que tout recommençait. Qu'entre le vide et la terre, nous redevenions ce que nous avions été d'abord, dans l'arbre, entre le ciel et l'eau, avant que le temps, l'habitude que nous avions prise, qu'on nous avait donnée de fourrager dans des moteurs ou de lire ou de ne pas lire réussissent à nous rendre différents : Alain, Daniel, Pomme et moi. Mais je ne l'ai pas dit.

Il y avait un carrefour, sur la nationale, avec une bâtisse désaffectée aux fenêtres arrachées, aux portes béantes. Pomme a ralenti. On a pris à gauche. La route s'élevait à travers les fougères. Puis elle a basculé et nous avons découvert l'armée des sapins, à perte de vue, jusqu'au bas du ciel blanc. Lorsque nous sommes entrés sous les arbres, c'était comme si le soir venait de tomber quand j'étais encore sous le coup de la double aurore — la vraie et puis celle qui nous attendait au sortir des gorges. Alain a encore parlé un peu de l'Espagne puis il s'est tu. Pomme a annoncé que nous avions fait soixante-quinze kilomètres et j'ai dit, effaré : le compteur. Et lui : quoi, le compteur. Et moi : il va marquer ce qu'on a fait, tout le chemin jusqu'ici et jusqu'à Paris et le retour. Le visage de Pomme, contre la pénombre rousse du sous-bois, n'a pas changé. Il a dit que le compteur, quand nous serions revenus, indiquerait exactement le même nombre de kilomètres qu'au moment où la DS avait quitté le box. Qu'il lui suffisait de quelques instants avant qu'il soit neuf heures le lendemain matin. J'ai dit qu'il n'aurait pas le temps de dormir. Et lui que c'était quelque chose qu'il pouvait remettre à plus tard.

Nous avons traversé la trouée claire d'un embranchement, replongé dans l'air bistre, vénéneux du sous-bois où la route serpentait. Une flaque noyait le dévers de la route. La DS a soulevé une gerbe magnifique, une sorte de lame d'étrave qui est retombée sur le pare-brise. On a embardé deux ou trois fois. Je ne voyais plus rien du tout. Pomme ne devait guère être plus avancé. Mais il avait aussi freiné en même temps qu'il appuyait sur la commande des essuie-glaces et qu'il rétrogradait, le tout en s'efforçant de garder l'étroite chaussée bombée sous les roues de la DS. Les balais ont étalé la boue noire, collante au point de faire disparaître l'étroit rai de roux qui restait. Pomme a continué à pousser sur quelque chose, avec la jambe gauche puis il a complètement arrêté la voiture. Il a dit qu'il avait juste oublié de remplir le lave-glace et que le voyage aurait au moins servi à quelque chose. Il a demandé sa gourde à Daniel. Daniel a dit qu'elle était vide depuis la veille. Je n'avais, moi, que de la limonade dans ma poche en papier. Nous étions arrêtés en plein milieu de la route. Pomme a dit qu'il y avait un type, à l'embranchement. Je n'avais rien vu. Il a dit si. Il était sûr. Il devait y avoir une maison. On nous donnerait peut-être de l'eau.

Daniel ne pouvait pas trop sortir avec sa tenue kaki et sa figure noircie. J'ai pris la gourde qu'il me tendait et j'ai quitté la voiture. J'ai compris ce que Daniel et Pomme voulaient dire quand ils nous avaient raconté leur première équipée aux sources et qu'ils nous avaient parlé du silence. Ce n'était pas seulement l'absence de bruit. C'était une conspiration muette qui avait absorbé tout de suite le ronronnement feutré du moteur au ralenti, qui rendait vaguement sacrilège tout ce qu'on peut dire à tout propos sans y voir malice, sans faire autrement attention. De part et d'autre, les troncs étaient pareils à des colonnes, l'air à une vapeur immobile, grosse d'apparitions. J'aurais voulu tourner la tête, vers la voiture que je n'entendais plus, mais les trois autres devaient me regarder. J'ai sifflé doucement, deux notes. J'ai arrêté aussitôt. Quelque chose d'imminent était là, le restait, l'est resté même après que j'eus pensé, murmuré que non, que ce n'était qu'une impression. Même dans la lumière blanche qui tombait sur l'embranchement. J'ai pris le petit chemin sablonneux. D'autres arbres le bordaient, des chênes. Il y avait une haie et toujours ce silence actif où le crissement du sable sous mes pas, de chaque grain se détachait. J'ai parlé à du bleu, derrière la haie. J'ai dit : monsieur, s'il vous. Puis j'ai dit pardon. J'ai dit qu'on m'avait dit puis j'ai pensé que cela n'intéressait personne, n'avait pas d'importance. Je cherchais ce que je devais dire. Si je ne trouvais pas, c'est que cela n'avait plus aucune espèce de rapport avec ce que je sentais, voulais à cet instant précis et qui était simplement que ce soit cet instant précis. Non seulement tout le temps qu'il le serait mais après, encore, lorsqu'un autre instant, un autre fragment du silence l'auraient insensiblement poussé, chassé. Qu'il serait devenu avant, même si c'était le même silence retenu, la même trouée de lumière blanche dans le crépuscule des bois de sapins. Et au-delà encore, toujours.

Déjà, ce n'était plus tout à fait pareil parce que j'aurais pu le dire (que je ne voulais plus que le temps passe ou alors qu'il passe sans rien changer) et que je ne l'avais pas fait. Le silence était différent. Il ne pouvait pas continuer. Je le savais confusément et j'ai dit qu'on avait mis de la boue sur le pare-brise. Que j'étais, que je venais de la sous-préfecture et qu'on avait mis de la boue sur le pare-brise, dans le tournant, là. Je tendais vaguement le bras vers l'écran tout proche des sapins immobiles qui masquaient la route, la voiture. Je me suis souvenu de Pomme et aussitôt après d'Alain et de Daniel, comme si je n'avais pas été séparé d'eux par soixante pas mais par des mondes, des saisons. Je me suis tu. Le silence était redevenu comme avant. C'est-à-dire que je pouvais de nouveau ne rien faire, ne pas parler, rester derrière la haie sans qu'il soit outrageant. Du moins, je le croyais.

Je regardais de tous mes yeux, en essayant d'avoir mon air habituel quand je ne songeais pas que j'avais un air — à la maison, au lycée, dans l'arbre ou avec les filles de l'école de musique. Parce que c'était une fille de l'autre côté de la haie, même si le mot prenait, en s'appliquant à elle, un sens complètement différent. J'ai essayé de me représenter l'air que j'avais, avec mon bidon vide à bout de bras. Puis j'ai compris dans un éclair que c'était toujours à moi de parler. Que le silence n'était pas redevenu comme avant, comme je le croyais. Qu'il était outrageant. J'ai dit, d'une seule traite, qu'on avait traversé une flaque et qu'on n'y voyait plus rien. Et qu'on avait un bidon et qu'il était vide. Si elle voulait bien le remplir pour qu'on nettoie le pare-brise. Elle a dit oui, d'une voix que je savais qu'elle aurait, qui allait avec l'air, le visage que je voyais à quatre pas de moi. Je lui ai tendu le bidon par-dessus la haie. J'ai songé que si j'avais été comme elle, je n'aurais jamais pu oublier que j'avais un air. Que même si elle l'avait voulu — et c'était aussi l'air de quelqu'un qui le veut, qui refuse d'en tirer parti —, tout ce qui avait des yeux pour voir et la faculté de parler devait être continuellement occupé à le lui dire, à le lui rappeler.

J'étais triste, déjà, comme jamais rien ni personne ne m'avait attristé, pendant qu'elle s'éloignait en direction de la maison que je devinais à travers les feuilles. Mais je ne l'étais pas encore tout à fait autant que j'allais le devenir lorsqu'elle m'aurait donné de l'eau et que je n'aurais plus de raison de rester, de la regarder. De parler de ma tristesse. Elle n'avait pas à le savoir. C'était trop facile. Tous ceux qui l'avaient vue avant moi — et je leur avais laissé dix-huit ans pour le faire — tous ceux-là auraient pu le lui dire, le lui avaient sûrement dit. Et ceux aussi qui la verraient après que je me serais éloigné avec le surcroît de tristesse que j'envisageais dans ma tristesse.

Elle revenait. Elle est apparue sous les arbres avec le bidon. C'était vraiment trop facile. Tout ce que je pouvais faire, c'était de travailler à me rendre tel que, si je revenais, s'il arrivait encore que nous nous trouvions de part et d'autre de la haie — et il fallait à toute force que cela soit, arrive —, celui que je serais devenu puisse lui dire qu'il n'avait jamais rien fait que de facile. Et que c'était de ce jour, c'est-à-dire de maintenant qu'elle se rapprochait, qu'il avait pris la résolution de se changer afin d'être digne de lui parler, de lui dire combien il avait été triste. Je l'ai regardée, pour me souvenir lorsque je me serais éloigné, que j'aurais gagné Paris, puis Clermont, que le temps aurait passé. Elle m'a tendu la gourde pleine, glacée. Je l'ai remerciée, deux fois. J'ai peut-être attendu, regardé un peu, encore, mais je n'ai pas parlé. Je me suis éloigné. J'ai retrouvé la rousseur des bois de sapins, la route. La DS attendait dans le tournant. Je me suis mis à courir alors que j'aurais voulu m'adosser à un arbre, tout seul, et fermer les yeux. Daniel, en kaki, la figure noircie, se confondait avec les profondeurs de la forêt. Alain a demandé ce que je fabriquais et Pomme si j'avais trouvé. J'ai dit rien, puis oui. Pomme s'est penché derrière le capot levé. Il a pris la gourde. Il en a vidé une partie dans un petit récipient en plastique transparent. Il a refermé le capot; doucement. Avec ce qu'il restait d'eau et son mouchoir, il a essuyé la boue noire, collante, qui couvrait le pare-brise. Il a demandé, sans se retourner, comment il était, le type. J'ai fait un geste, pour dire comme ça, qu'il n'y avait rien à dire. On s'est rembarqué et on est reparti.

On est sorti des bois. On a retrouvé le ciel pâle. La route avait à peu près la largeur de la voiture et je m'attendais à ce qu'elle finisse à tout instant, sans préavis, dans la brande.

Daniel a dit, derrière, que c'était là. J'ai surpris l'éclat blême de ce qui devait être l'eau, comme un morceau de ciel tombé dans la bruyère. Pomme a engagé à demi la voiture sur la banquette.

J'ai dû faire un réel effort pour bouger, pousser la portière et m'extraire de la DS. Ça revenait à le faire vraiment alors qu'assis, muet, c'était un peu comme l'instant d'avant, quand j'étais debout derrière la haie et que je parlais, même s'il n'y avait aucun rapport entre ce que j'aurais voulu dire et ce que j'étais tenu de raconter. Le silence avait franchi notre enveloppe de tôle, envahi l'habitacle dès que Pomme avait coupé le contact. Puis il avait circonvenu chacun d'entre nous quand nous étions sortis et c'est sans phrase qu'Alain et moi nous sommes engagés dans la brande à la suite de Pomme et d'Alain. Nous avons marché le long du talus, suffisamment en retrait pour qu'un poisson, dans l'eau, ne puisse nous voir. Nous nous sommes rapprochés en nous courbant, avec infiniment de prudence et de lenteur et nous nous sommes accroupis dans des fougères, au-dessus du ruisseau.

Sans le cerne léger, rectiligne qui courait sur toute la longueur du versant de la berge opposée, ç'aurait pu être simplement du sable et du gravier à nos pieds. Et quand on avait cherché en vain une herbe, une ombre, on se rappelait subitement que c'était de l'eau, que c'était la source. Daniel a chuchoté qu'il en voyait une. Un peu après, Pomme a dit oui alors que je ne voyais rien que le fond moucheté de gris et de blanc. Alain non plus ne voyait pas. C'est que nous n'avions pas l'habitude, nous. Il l'a dit. Daniel a tendu le bras. Son bras n'était pas pointé, immobilisé, qu'un trait gris, moucheté, s'est détaché du sable et du gravier pour s'évanouir plus haut et j'ai compris, ensuite, que c'était la truite. Daniel

154

et Pomme nous regardaient en hochant la tête d'un air entendu. Daniel a dit que pour les prendre, il ne fallait pas les voir. Qu'elles nous voyaient toujours avant. Qu'au début, quand ils venaient d'arriver, de lancer leur cuiller dans l'eau et qu'elle revenait vers eux comme si elle s'était déplacée dans une couche basse d'air plus dense, ils avaient envie d'arrêter. Et même, a-t-il murmuré, en tournant les yeux vers Pomme, de repartir. Ils pensaient qu'il n'y avait rien, qu'il ne se passerait rien jusqu'à ce que le fond du ruisseau devienne un poisson, l'air lourd de l'eau et que le temps se mette à glisser, à les entraîner si follement qu'il pouvait être à peu près n'importe quelle heure, presque le soir, quand ils supposaient à peine qu'il allait être midi.

Nous sommes restés accroupis dans la fougère et le silence au-dessus de l'eau des sources. Pomme a dit qu'il serait bientôt dix heures et qu'il fallait y aller si nous voulions voir un peu Paris, aussi. Il a ajouté, à l'adresse de Daniel, qu'il pouvait enlever ses peintures de guerre, ce que Daniel a fait.

Nous sommes repartis. On avait l'impression que la brande s'écartait à regret, au dernier moment, pour permettre le passage de la voiture et qu'il aurait suffi d'un rien, d'un mot de travers pour que l'esprit des hauteurs, des solitudes nous barre le chemin. Pas seulement en avant, au nord maintenant, vers Paris mais derrière aussi. Qu'il nous coupe la retraite et, avec elle, les attaches immensément distendues, précaires qui nous reliaient encore au lundi, au garage (pour Pomme), au rassemblement du régiment ou au train de huit heures deux (pour moi). C'est Alain qui l'a dit. Il a fait observer qu'il valait mieux ne pas tomber en panne dans ces parages et que la boîte de la Traction avait été bien inspirée d'annoncer la couleur à temps. Nous avons dévalé des pentes à travers des bois mêlés de sapins et de châtaigniers qui poussaient leurs rameaux en travers de la route. Pomme a dit qu'on remonterait la moyenne quand on aurait retrouvé la nationale. Des fougères, de grandes ombelles se frottaient contre les flancs de la voiture. Il n'y avait plus que des châtaigniers et une lueur bien ronde, devant, comme au bout d'un tunnel. C'était la 20.

Pomme a dû laisser passer une colonne de voitures bourrées d'enfants, chargées à refus de valises, de paniers, de parasols, traînant des remorques, des caravanes. Nous étions presque aux portes de Limoges. Des panneaux représentant des lunettes, des tours crénelées, des soupières en porcelaine poussaient au bord de la route. Pomme a rejoint une Simca dont l'arrière rasait le sol. Il s'est déporté légèrement pour doubler mais nous entrions dans un virage. Quand nous en sommes sortis, nous avons aperçu des flèches d'églises sur l'enchevêtrement des toits. Alain nous a fait quitter la lente file qui s'étirait et se contractait d'un feu à l'autre. Nous nous sommes enfoncés dans un maquis de vieilles rues. Nous avons longé des rails derrière des grilles, dépassé la gare sous sa coiffe de cuivre verdi, tourné sous des platanes et retrouvé la 20 pour venir buter, une nouvelle fois, sur la chenille motorisée dont nous nous étions séparés. Un bateau blanc a passé devant nous. Pomme est sorti sous le nez brillant, tout en chromes, d'une Chambord. L'accélération nous a collés à nos sièges. L'instant d'après, j'ai dû jeter les bras en avant pour ne pas m'écraser le nez sur la planche de bord et les pneus de la Chambord, derrière, ont émis un cri bref, si proche, qu'on l'aurait cru sorti du coffre de la DS. Devant nous, à l'aplomb du pare-chocs, un chiffon rouge palpitait à la pomme du mât verni du bateau blanc. Pomme, la tempe appuyée à la vitre, guettait.

Une camionnette nous a croisés, puis une Dauphine. Elle n'avait pas disparu que nous étions sur la voie opposée, écrasés contre nos sièges, et que le bateau blanc avec ses grappins, ses hublots en plexiglas et ses panneaux d'acajou s'éloignait à reculons, puis la Mercédès qui le tirait puis d'autres voitures avec des yeux ronds et des boucles d'enfants collés aux vitres, une caravane, d'autres enfants, des vélos la tête en bas, des havenots. La voiture, en face, nous lançait des éclairs. Pomme est venu s'emboîter entre les havenots et des Anglais dans une auto noire tout en rondeurs, anachronique, pendant que l'autre, en face, une Dauphine encore, avec la tache claire du conducteur et le trou noir de sa bouche ouverte, nous frôlait. Déjà, on remontait les Anglais, le type à l'air anglais du côté droit, devant, et personne de notre côté, à gauche, où il n'y avait pas le volant, puis des Français qui ressemblaient à des Français puis il a fallu se rabattre et une oriflamme rouge a claqué. Daniel a dit que c'était une Lancia. Pomme avait la tête appuyée à la vitre. Il a annoncé les perdreaux. Une estafette de la gendarmerie a passé avec un froissement de cape et nous nous sommes retrouvés sur l'autre voie. Déjà, une tache sombre grandissait en face. Des panières d'osier, des vélos, des Allemands coulissaient à notre droite. La route s'incurvait, au loin, et on a vu, compris d'un seul coup, Pomme et moi, que dépasser une caravane ou deux ou trois voitures ou le tout à la fois ne servait peut-être pas exactement à rien mais ne représentait pas non plus d'avantage appréciable. On aurait accepté d'être plaqué aux sièges (confortables) de la DS puis jeté irrésistiblement contre la planche de bord, d'avoir peur de ne pas trouver un interstice où s'introduire juste avant la collision et même l'envie de rendre (c'était l'envie de rendre) contre laquelle j'avais mobilisé une partie de mes forces et de mon attention depuis que nous avions commencé à rouler sur la nationale si, comme je l'avais cru, comme Pomme avait dû le croire, on parvenait à s'extraire du conglomérat mobile d'Anglais, de parasols, de remorques dans lequel on s'était malencontreusement engagé au sortir des bois. Seulement, le conglomérat devait commencer à la frontière espagnole (ou au détroit de Gibraltar) et finir à Paris (et sans doute au-delà, au cercle polaire. Mais ce n'était plus notre affaire, passé Paris). On l'a découvert, compris quand on a aperçu à peut-être un kilomètre de distance la minuscule théorie de voitures et de caravanes collée au tracé sinueux de la route. Après quoi j'ai piqué du nez vers le pare-brise où une 403 noire était devenue immense, grande comme une locomotive, les phares allumés, le klaxon bloqué. Le coffre d'une 2 CV, une ancienne, grise, l'a remplacée à la seconde où la 403 allait nous broyer, nous disperser. Tout au long de la seconde suivante, j'ai imaginé celle d'après, que nous occuperions l'emplacement de la 2 CV. Pas celui qu'elle venait de quitter, celui qu'elle occupait, avait occupé avant d'être volatilisée par nous. Et cette seconde que j'imaginais est arrivée, s'est mise à passer, a passé sans que la 2 CV vole en éclats comme cela aurait dû inévitablement se produire. Elle a même commencé à regagner du terrain alors que j'avais la tête pleine du hurlement sauvage des pneus (les nôtres et ceux des voitures, derrière), des klaxons, celui, aigre, descendant vers les graves de la 403 et celui, champêtre, un peu brumeux, de la grosse voiture allemande verdâtre à laquelle nous avions pris sa place, derrière la 2 CV. Les pneus ont arrêté. Il n'est plus resté que le cor voilé, prolongé, de l'Allemand, derrière et la voix de Daniel qui fouillait à ses pieds entre les banquettes en disant qu'il allait lui foutre une giclée. J'ai vu l'Allemand et, tout contre mon nez, le bout évasé, graisseux, et le bipied du fusil pendant que Pomme criait d'arrêter, de cacher ça. Le klaxon s'est éteint. Daniel a dit que c'était seulement des cartouches à blanc et Pomme que c'était assez difficile comme ça sans qu'il s'y mette. Daniel a recouché son engin sur le plancher.

J'ai descendu à fond ma vitre, de la main gauche. Si je m'étais servi de la droite que j'appliquais avec l'énergie du désespoir contre ma bouche, j'aurais rendu. Je me serais vidé de moi-même. J'aurais cessé d'exister, n'étant plus rien qu'une grande poche sombre et tumultueuse, dégoûtante, rien qu'un estomac de la pointe des pieds au sommet du crâne avec des pensées noires, écœurantes, d'estomac. Entre mes paupières plissées, le filet vert de la banquette courait inutilement. J'ai fermé complètement les yeux pour conti-nuer d'exister. Même si je savais — quelqu'un que j'avais été avant de devenir une grande poche et qui s'appelait je — qu'on demeure après qu'on a rendu, qu'il était idiot de penser le contraire. Ceci jusqu'à ce que celui qui pensait cela (que c'était idiot) et l'autre, l'estomac en révolte, cessent un peu de me tarabuster. Qu'il n'y ait plus d'un côté l'estomac et de l'autre, loin, la vaine voix docte qui raisonnait mais les deux ensemble et surtout un peu moins l'estomac, dans le vent relatif où j'avais la tête noyée. Je l'y ai laissée le temps qu'il a fallu pour que ce soit ma tête et, de proche en proche, des épaules, un corps dont l'estomac n'occupait plus que sa portion congrue.

J'ai rentré la tête. La malle de la 2 CV se balançait mollement devant moi. J'ai levé les yeux vers le ciel incolore où je les ai tenus. Ensuite, j'ai pu regarder la 2 CV sans lâcher le terrain reconquis, les épaules, l'extrême pointe de mes pieds. Pomme a demandé comment j'étais. J'ai dit : mieux. Alain aussi, derrière. On n'avançait pas. La 2 CV avait l'air de descendre et de monter sur place. Dès que la route se mettait à grimper, il fallait ralentir tellement que je pouvais distinguer chaque brin d'herbe du bas-côté. Qu'un promeneur indolent, qu'un enfant distrait nous auraient dépassés et perdus de vue. Pomme a déboîté. La 2 CV s'est évanouie, puis la nouvelle Renault au mufle plat qui la précédait. Le levier de vitesse semblait danser tout seul sous la main de Pomme. On a dépassé une caravane, des Anglais, une autre caravane. Pomme s'est rabattu sans attendre que celui qui venait en face commence à allumer ses phares. Dans les descentes, la vitesse remontait jusqu'à soixante-dix mais elle retombait aussitôt après et je pouvais compter les feuilles et les gravillons. On s'est même arrêté complètement au sommet d'une côte. En contrebas, l'indolente chenille mécanique se hissait entre les pâturages et les boqueteaux. J'ai reconnu des cantines jaunes que nous avions laissées derrière nous à la sortie de Limoges. Je les ai indiquées à Pomme. Il devait les avoir vues, reconnues. Il a dit oui, sans regarder. Alain était encore tout blanc. Il pinçait les lèvres comme s'il avait bu du vinaigre. Daniel dormait, la tête à la renverse, avec cet air d'abandon vulnérable qu'il y a sur la figure des petits enfants. Mais l'arc de la mâchoire, la saillie des pommettes, le masque étaient ceux de son père.

Il était plus de deux heures quand Pomme s'est garé au bord de la route, le long d'un aérodrome, à la sortie de Châteauroux. La 2 CV nous a dépassés. La conductrice, désuète et grise, était très exactement ce qu'on s'attendait à trouver au volant d'une antique 2 CV alors que ni Pomme ni aucun d'entre nous n'avions l'allure (l'âge, l'air) qui convenaient alors, à une DS 21. Cela se voyait tellement qu'un effroi rétrospectif m'a pris. La première Estafette de gendarmerie — et nous en avions déjà croisé quatre ou cinq, la dernière ostensiblement plantée à un carrefour, à l'entrée de Châteauroux — aurait dû faire immédiatement demi-tour et se lancer à notre poursuite. Mais peut-être qu'il y avait trop de voitures, de bateaux, d'Allemands, d'équipages hétéroclites en marche vers Paris. Et que les gendarmes, comme nous, étaient tombés dans la morne stupeur née de l'interminable reptation où rien, à la fin, ni les plaines inconnues, ni les villes nouvelles, ne pouvait plus nous surprendre. Nous avons encore vu passer l'Allemand au cor, les cantines jaunes, d'autres bateaux, d'autres yeux d'enfants collés aux vitres. Je n'avais plus envie de rendre mais la seule idée de manger, fût-ce un fruit, alertait la poche noire, tapie au fond de moi, qui m'avait déjà englouti tout entier. Alain non plus n'avait pas faim. Daniel nous regardait alternativement avec de tout petits yeux, comme un gosse qui s'éveille et qui ne sait plus trop où il est, ce qu'il est, un oiseau, un gosse, un soldat. Je lui ai dit qu'on n'était qu'à Châteauroux. Il a constaté qu'il avait faim. Pomme était en train de mordre dans le bout de pain rassis qu'il avait pensé à emporter lorsqu'il s'était levé, vers cinq heures. Je me suis souvenu de la poche en papier où j'avais glissé des fruits, du fromage, du chocolat et une bouteille de limonade. Je l'ai tendue à Pomme qui a pris du fromage et l'a passée à Daniel. J'ai bu, un peu.

Le ciel restait blanc. Le défilé de voitures, de caravanes formait à gauche, tout contre nous, une continuelle et sombre vibration. Pomme a cessé de mastiquer, l'œil fixé sur le retroviseur. Un Anglais (ou un Hollandais) nous a dépassés, suivi d'un fourgon de gendarmerie dont les occupants ne nous ont même pas accordé un regard. Pomme s'est soigneusement frotté les mains à la fenêtre. Il a demandé, du ton qu'il avait employé, l'instant d'avant, pour manger, si on continuait. Daniel, la bouche pleine, a hoché la tête en faisant honhonhon. J'ai dit oui. Alain a imperceptiblement haussé les épaules. Pomme a démarré. Il s'est glissé dans un creux de la rumeur et nous avons repris, notre lente, notre interminable progression vers Paris.

Le ciel ne s'est pas déclaré. Il a même perdu la nuance bleutée qu'il avait prise un court instant, avant que nous ne nous arrêtions pour manger. Il était gris perle, ainsi qu'au matin, comme si le temps avait cessé de passer et que nous fussions voués à rouler sans avancer ou à avancer sans nous rapprocher de notre but.

On a pourtant fini par atteindre Vierzon. On a cru n'en jamais sortir, comme on avait cru ne jamais l'atteindre, alors que ce n'était pas une grande ville. Ensuite, la caravane, devant, s'est calée à soixante à l'heure et j'ai pu revenir, en pensée, au matin, quand il avait été neuf heures, sous les bois. Que tout ce que j'avais jugé jusqu'alors important avait à peu près complètement cessé de l'être à l'exclusion de cette haie par-dessus laquelle je parlais d'eau et de boue, de la sous-préfecture où j'avais vécu et que j'allais quitter. Le balancement souple de la caravane m'incommodait. J'ai fermé les yeux pour mieux me souvenir, pour que rien ne trouble l'image fragile, délicate, que j'avais emportée.

C'est la voix de Daniel qui me les a fait ouvrir. Je me suis demandé ce que c'était, ce qui se passait avant de reconnaître l'arrière de la caravane, Pomme, à ma gauche, et tout le reste, le ciel blanc, l'interminable journée de route et de nouveau la voix changée, hostile de Daniel. A la réflexion, je l'entendais depuis un moment, alternant avec celle, plus sourde, égale, de Pomme. Mais c'était comme si je ne les avais pas entendues jusqu'à ce que quelque chose, dans celle de Daniel, me fasse ouvrir les yeux. Pomme répondait de sa voix naturelle, sans quitter des yeux le panneau blanc, tout proche, qui se dandinait devant nous. Ou plutôt il demandait à Daniel pourquoi il voulait, Daniel, qu'ils ne pensent qu'à nous rentrer dedans. Et Daniel, avant même que Pomme ait dit dedans, avec la vibration insolite, dangereuse qui m'avait fait ouvrir les yeux : parce que c'est des rouges. Et Pomme : et après ? Et Daniel, feignant de compatir encore aux malheurs contre lesquels il mettait Pomme en garde et que Pomme s'obstinait à ne pas regarder comme des malheurs, à ne pas regarder : après, t'aurais plus de garage. Pomme ne répondait pas aussitôt. Il laissait Daniel parler, se taire, souffler comme un chat. Nous devions rouler aux confins de la troisième et de la quatrième et il n'arrêtait pas de manœuvrer le levier de vitesse. Il est remonté en quatrième et il a dit qu'il ne voyait pas ce que ça changerait. Cette fois-ci, Daniel ne s'est pas mis à parler tout de suite, avant même que Pomme ait fini. Quand il l'a fait, son premier mot a été le dernier que Pomme avait proféré — changerait. Il ne parlait pas à Pomme et ce n'est pas Alain ni moi qu'il prenait à témoins mais le toit plastifié de la DS, la futaie de chênes qui défilait à soixante à l'heure. Puis il a dit à Pomme que son garage, ils diraient qu'il est à eux, les rouges, à l'Etat. Pomme a répété qu'il ne voyait pas la différence et Alain, en même temps que Pomme disait différence : que tu aurais en plus le droit de la fermer. Et Pomme : je l'ai déjà.

J'ai regardé Daniel qui secouait la tête et soufflait par la bouche en regardant les arbres. Il m'a regardé sans me voir. Il a dit, soufflé : purée puis, à la nuque de Pomme : je te dis qu'ils veulent nous rentrer dedans. Qu'ils se préparent. Que c'est des rouges. Pomme est descendu en troisième. Le silence qui s'est creusé était pareil à celui des hauteurs où la rivière avait sa source, lourd de tout ce qu'on devinait qui touchait au commencement et à la fin, aux puissances invisibles qui nous font semblables et puis nous changent au point qu'un jour, peut-être, on doutera qu'on a pu être les mêmes, partager un reflet dans un peu d'eau et trois branches d'arbre sans soupçonner qu'il y ait rien d'autre, qu'on devienne ennemis. Daniel s'est rejeté contre le dossier de la banquette. Pomme a repassé la quatrième et il a parlé. Il a demandé à Daniel si c'est à l'armée qu'on lui avait appris tout ça. Cette fois-ci, Daniel n'a pas répondu avant que Pomme ait fini ni tout de suite après. Il avait l'air de s'intéresser au taillis, sous le ciel gris perle. Puis il a dit qu'il le savait déjà, en laissant sa voix à mi-hauteur comme s'il s'était attendu à ce que Pomme réponde, riposte pour repartir sur sa lancée, dans le même ton. Mais Pomme n'a pas repris. Il s'est simplement étiré, les bras raidis, en fronçant les sourcils. Je lui ai demandé s'il n'était pas trop fatigué. Il a secoué la tête, dit non quand Daniel se remettait à parler avec cet accent brutal et pleurard, disant : ne me dis pas que tu ne sais pas qu'ils veulent nous rentrer dedans, qu'ils n'attendent que ça. Et Pomme : quoi, ça ? Et, après une courte pause : que tu ne sois plus là avec ton bouquet sur la tête et ta sulfateuse pour me défendre ?

J'ai cru, une fraction de seconde, que Daniel allait le frapper à la nuque, de toutes ses forces. Mais il n'a eu qu'un sourire lointain. Il a crié : alors t'es un rouge, t'es un rouge, aussi. Il a encore murmuré putain, en agitant la tête et le silence lourd est retombé. A force, on avait cessé d'entendre le vrombissement du moteur. Il était comme ces échos assourdis, ces sifflements qui s'éveillent en nous, que nous seuls entendons.

Des bourgs de brique de rien du tout avec deux feux nous ont arrêtés longtemps puis les bois de chênes se sont écartés et nous avons découvert Orléans. Quand nous en sommes sortis, il était sept heures moins le quart et Alain qui n'avait rien dit depuis des heures, que j'avais presque oublié, a dit que nous n'y serions jamais. Le ciel était gris. C'était le soir.

IX

Nous avons franchi la Loire, pareille à des coulées de plomb sur du sable. Nous emportions avec nous le silence hostile né de l'altercation qui avait opposé Daniel et Pomme, à vingt kilomètres de là. Nous avons avancé au pas, longtemps, entre des maisons basses, douté d'en sortir jamais jusqu'à ce que Pomme déboîte brutalement et que je découvre des éteules qui finissaient très loin, au pied du ciel écrasant. Et aussi que la caravane, devant, était vraiment une caravane parce qu'à la fin, il n'y avait plus que cet écran blanc oscillant sous nos yeux. Pomme a remonté une paire d'Anglais, un fourgon mortuaire tout neuf, brillant, avec sa plaque d'immatriculation provisoire, un autocar déglingué qui fumait comme un incendie de broussailles et qui nous a caché jusqu'au dernier moment la voiture gris fumée venant à notre rencontre. Elle n'a pas fait d'appels de phares ni klaxonné. Elle s'est matérialisée dans le nuage nauséabond. Elle n'a même pas freiné. Le car a regagné brutalement du terrain. J'ai entendu l'âpre souffle de notre antagoniste. Je me demandais qui allait l'emporter, de mes bras contre la planche de bord ou de la force d'inertie. C'est la force d'inertie qui a eu le dessus mais en sens inverse. Je me suis retrouvé sans transition collé à mon siège dans le nuage de mazout brûlé. Pomme, penché sur le volant, plissait les yeux en montant les vitesses. Nous avons débordé le flanc beige, écaillé, souillé de boue du car, retrouvé la lumière du soir, attaqué une Peugeot, une remorque et la voiture qui tirait la remorque. Ensuite, c'était un nouvel autocar et une DS blanche venait à notre rencontre. Elle devait aller aussi vite que nous mais Pomme n'a pas levé le pied. Nous étions à peine à la hauteur de la roue arrière du car. C'est la route qui semblait fuir, se dérober et l'énorme roue, le panneau de tôle rivetée du car, nous, flotter sur place pendant que la DS blanche fondait sur nous à deux cents à l'heure. J'ai crié qu'on allait quand déjà elle nous croisait avec un souffle rauque, une expiration furieuse et j'ai pu, à mon tour, chasser l'air, l'eau glacée qui m'avait rempli la poitrine à la dernière seconde, quand il était devenu manifeste que nous allions mourir. Pomme m'a jeté un rapide regard. Il a dit qu'il y avait trois voies. Tu vois bien. J'ai continué à souffler. On s'est rabattu quand il n'y a plus eu que deux voies derrière un bateau vert.

Il tanguait et roulait doucement devant nous. Il avait une carène profilée et un moteur hors-bord, comme dans les magazines ou sur les calendriers des Postes avec un type bronzé à la barre et une jeune femme blonde en bikini rouge et des lunettes de soleil, les mains derrière la tête. Je respirais normalement mais je sentais encore ma main frémir comme un insecte craintif sur mon genou. Pomme, la tempe à la vitre, surveillait la route et le rétroviseur. Nous avons jailli de notre créneau, au ras de l'hélice, remonté la coque verte et la grosse voiture noire qui traînait le bateau. La ressemblance avec le calendrier des Postes s'arrêtait aux lunettes de soleil que portait la femme. Le conducteur, un homme âgé, presque chauve, avait l'air de dormir au volant. Pomme a dit, rapidement, qu'il ne les voyait pas comme ça, avec un bref mouvement des sourcils vers la voiture noire. J'ai dit : moi non plus, et nous avons souri ensemble. Nous avons encore dépassé un car, d'autres voitures avant que la route ne revienne à deux voies. On allait plus vite grâce à la troisième, quand elle se greffait inopinément entre elles. Puis elle s'évanouissait. Nous revenions nous intercaler n'importe où et la vitesse retombait entre la troisième et la quatrième. Mais on en perdait bientôt la notion parmi les interminables éteules, le brun-rouge des labours. Parfois, au large surgissait ce qui devait être une ferme, remparée de hauts murs, pareille à une île dans l'océan des terres moissonnées.

Pomme a dit qu'il n'aurait pas supporté ça en montrant du doigt la plaine, le ciel énorme. Qu'il lui fallait de l'eau, des arbres. Puis, après un moment, qu'il se demandait comment les gens, dans les fermes, s'y prenaient. J'ai dit que c'était sans doute parce qu'ils n'avaient jamais rien vu, connu d'autre. Que nous aurions fait la même chose. Que nous aurions vécu là, dans les labours, sous ce ciel, comme il nous avait suffi d'un peu d'eau et de trois branches. J'ai ajouté : de pas grand-chose. Vu d'ici, des lentes étendues de la Beauce, c'était soudain peu de chose que notre bout de rivière et l'aulne où nous avions découvert la naissance du matin, l'attente, l'espérance et même l'appel (seulement l'appel) de l'océan lointain. Pomme a dit qu'il ne se voyait pas sans ce besoin qu'il avait de rester près d'une rivière le plus longtemps possible. Que, s'il n'avait pas pu, s'il n'avait pas coulé un peu d'eau à proximité, il n'aurait peut-être pas accepté, supporté. J'ai demandé quoi. Il a vaguement détaché sa main gauche du volant. Il a dit le patron, les dix heures qu'il passait tous les jours dans le bruit, la graisse, le froid. J'ai dit : moi aussi. Mais c'est aux vendredis que je pensais, aux journées pareilles à des murs, au fourniment de livres, de partitions, de dictionnaires, de fatigue sous lequel je me hâtais.

Les éteules avaient pris une nuance plus claire, mate, tandis que les labours se décoloraient, comme le ciel, avaient l'air de se dissoudre, de ne plus exister. Entre les tronçons à trois voies, quand la vitesse retombait, qu'on perdait la sensation du mouvement, il n'y avait plus que le damier brouillé, jaune pâle, des éteules sur les bleuités indistinctes de la terre abolie. Puis Pomme déboîtait, poussait follement la DS jusqu'à ce qu'il soit presque trop tard, que la voiture, en face, s'illumine d'appels indignés et que nous nous fassions une place derrière une autre auto ou un autre bateau. Nous avons croisé un Allemand aux phares allumés, blancs, sans halo. Nous nous sommes retrouvés sur la voie intermédiaire et nous nous sommes rabattus juste avant un panneau que j'ai pu lire, comprendre. J'ai dit, à demi tourné vers Daniel, vers Alain, que nous étions à trente kilomètres de Paris, trente kilomètres. Daniel m'a jeté un regard vide. Alain a dit oui et, sur le même ton, qu'il était huit heures. Cette fois-ci, c'est un Français qui nous a croisés, avec ses phares jaunes autour desquels la nuit s'est faite d'un seul coup.

Le ciel était brun, couleur de terre, et la terre avait disparu. Pomme aussi avait allumé. J'ai failli demander si on arrêtait, si on rentrait mais il était revenu sur la voie centrale, en quatrième, pleins phares. Nous remontions la file de droite, si vite que les voitures, les boîtes claires des caravanes paraissaient arrêtées. La nuit brune, aussi, avait englouti les confins de la plaine, éteint les éteules, brutalement resserré les limites de l'espace dans (avec) lequel nous nous déplacions. Lorsque des phares trouaient les vapeurs de la nuit, devant, Pomme se contentait de serrer un peu, à droite, de chercher à demi refuge sous l'aile d'une voiture ou la hanche d'un bateau. Les feux passés, engloutis, il quittait l'abri et la file semblait ralentir, se figer. On était à cent trente lorsque j'ai demandé. Presque personne ne se hasardait sur la voie centrale. C'était la nuit et les voitures lourdement chargées roulaient depuis le matin. Et puis nous approchions de Paris.

Il a fallu ralentir. Il y avait quatre voies, maintenant. La colonne s'était dédoublée. Elle serpentait interminablement comme un flux régulier, bien calibré, de braise qui aurait eu la vertu de gravir les côtes. C'est alors que j'ai compris que nous avions aussi traversé la Beauce, rompu le sortilège écrasant qui annihilait le mouvement et, avec lui, l'élémentaire, l'ultime besoin qu'on a, qu'on est, d'aller, de connaître. J'attendais que Paris surgisse à chaque tour de roue que nous faisions. Que s'ouvre le bassin lumineux où confluaient les coulées de braise. C'est ainsi, du moins, que je l'imaginais — un creux circulaire, assez vaste, et les monuments célèbres disposés un peu à la façon de la grande poste, du théâtre, de la caserne et du lycée de garçons. Mais on avait recommencé à se traîner en troisième. Par moments, même, Pomme descendait en seconde. C'est pour ça, et aussi parce que j'imaginais une flottaison lumineuse de palais, de dômes et d'arcades, que je n'ai pas fait attention aux casses, aux maisons basses, aux entrepôts confus nés de la nuit et qui s'étaient rejoints. Mais ce n'était pas encore Paris. J'ai lu le nom de l'endroit, Longjumeau, et plus tard, Fresnes, Bourg-la-Reine. Alain, derrière, avait sorti son plan. Il s'est plaint qu'il voyait mal. Pomme a allumé le plafonnier et c'est dehors qu'on voyait moins bien. Il n'y avait plus que des maisons et elles étaient de plus en plus hautes. Alain a dit que ce devait être, que c'était Montrouge. Et aussi qu'il était presque neuf heures. Nous avons été arrêtés longtemps par un feu. Daniel qui n'avait pas ouvert la bouche depuis Vierzon a dit : là, regardez ! Les deux cantines jaunes s'éloignaient, à gauche, en direction de Châtillon (c'était écrit sur un panneau).

Pomme les a regardées disparaître dans la clarté orangée, pulvérulente, des lampes au sodium mais il n'a pas eu un mot ou seulement un geste pour les risques inutiles qu'il n'avait pas cessé de prendre pendant quatre cents kilomètres, la peine, la tension que c'était (ce devait être pour lui, même s'il ne le disait pas, ne le montrait pas) de remonter à cent trente le troupeau obtus de machines, de coques de bateaux qui s'étirait entre le détroit de Gibraltar et Paris et au-delà encore. Il a réussi à se faufiler entre deux caravanes qui prétendaient, elles aussi, tourner vers Châtillon et retrouvé l'axe de la chaussée, de l'autre côté du carrefour. Il a accéléré afin de profiter du vide que les feux creusaient dans la circulation. Mais c'était, soudain, pour moi, sans importance. Je ne pouvais plus participer, calculer avec lui, essayer chaque fois d'apprécier la distance qui nous séparait encore de la voiture fonçant à notre rencontre, penser à la tension qu'il devait supporter, à la fatigue qu'il devait éprouver, lui qui n'avait presque pas dormi de la nuit ni lâché le volant de tout le jour, l'aider en quelque sorte (même s'il ne le savait pas, même si ça ne servait à rien). Maintenant, je ne pouvais plus. Je ne voulais même plus. Je souhaitais seulement ne plus être enfermé dans une voiture, ne plus entendre le moteur, le faire sortir de moi, de mon corps où il me semblait à force, qu'il tournait, vivait, comme une douleur.

Pomme a dû ralentir presque aussitôt. Nous marchions en première, au pas, dans la lumière crue, orangée, pareille à celle que le soleil jette juste avant l'orage. Ce devait être Paris. Pomme a demandé à Alain, sans se retourner, s'il voyait un boulevard périphérique, sur son plan. Il y a eu un silence. On repartait. Pomme est monté en seconde. Alain a dit non, que ça n'existait pas. Pomme a répété. J'ai vu le panneau : Paris. Alain a fait non. Il a dit qu'il pensait que c'était le nom qu'ils donnaient à tous ces bouts de boulevards qu'il y avait, là, Brune, Jourdan, Lefebvre. J'ai vu Pomme hésiter puis nous avons commencé à dévaler une rampe, derrière un Hollandais, avec une caravane à notre gauche qui empêchait qu'on voie, quand Alain a crié non. Que ce devait être le boulevard Romain-Rolland. Qu'il fallait prendre à gauche, pour la porte de Versailles.

Le Hollandais, devant, dégageait sur la droite, contre la haute paroi de béton. Pomme a entrepris de déborder la caravane pour chercher une issue à gauche. L'autre, le caravanier, a fini par comprendre que nous allions à gauche, que nous le voulions. Pas seulement Pomme, mais moi, de nouveau, et aussi Daniel et Alain, derrière. J'ai vu sa bouche ouverte, rougeâtre dans sa figure orangée, et au-delà, d'un seul coup, la ruée de feux, sur au moins quatre rangs de front et je ne sais combien — cent, mille — de profondeur, le fleuve éblouissant de lumière. Pomme qui avait accéléré pour terminer sa manœuvre de débordement et obliquer à gauche a contrebraqué à mort de sorte que non seulement nous avons évité le choc frontal avec les phares aveuglants qui nous arrivaient droit dessus mais que nous n'avons même pas touché ceux qui venaient au deuxième rang. Le type a quand même dû se déporter beaucoup pour ne pas nous couper en deux à hauteur des essuie-glaces et on l'entendait gueuler malgré le hurlement des pneus. Sa Ford bleue était maintenant en train de passer en crabe sur notre arrière tandis que le fleuve de feu continuait à déferler avec l'aveugle, l'irrésistible et meurtrière impavidité d'un fleuve. J'étais étroitement serré contre Pomme, ma tête contre sa tête dure, au-delà, déjà (moi, ma tête) de la catastrophe, du concert discordant de caoutchouc martyrisé, de grossièretés, de klaxons qui accompagne les catastrophes, après quoi et quoi qu'il advienne, soit advenu, on a au moins retrouvé l'immobilité, le silence. C'est en quelque sorte à partir du silence où tout finirait enfin, ou quelque chose d'autre commencerait que j'ai assisté à notre incursion sur la deuxième voie et un petit peu sur la troisième, entre le grossier personnage qui avait passé devant nous et une paire de phares, derrière, si près, qu'elle remplissait la lunette arrière, effaçait les têtes étroitement jointes de Daniel et d'Alain et la main que j'élevais avec lenteur pour me protéger quand nous amorcerions le premier tonneau. Ma main s'est remise à monter dans la lumière un peu moins violente et j'ai été séparé de Pomme avec la même brutalité qui m'avait jeté contre lui, renvoyé dans mon coin pendant que la DS penchait en sens opposé. Elle s'est encore inclinée mais plus au point qu'elle n'ait plus, qu'on ne voie plus aucune raison pour qu'elle ne parte pas en tonneau. Je suis revenu vers Pomme mais je me suis arrêté à mi-chemin, exactement à l'aplomb de mon siège, au moment où les pneus, les nôtres, exhalaient un dernier cri fait d'indignation, de lassitude et de rancune. De nouveau m'est parvenu le ronronnement sourd, lancinant, du moteur, comme s'il avait été en moi, comme si de rien n'était.

Nous roulions dans le grand fleuve de feu, cernés de partout, irrévocablement emportés vers une destination inconnue par ce boulevard qui n'existait pas. Pomme relevait la lèvre supérieure, comme s'il avait continué à manœuvrer perpendiculairement à la ruée flamboyante qui nous guettait derrière la caravane et j'étais, moi, en train de réoccuper ma place ordinaire, la petite portion d'étendue lasse, bourdonnante, au fond de laquelle je m'étais recroquevillé en prévision du choc multiplié de tous ces feux. Quand j'y suis à peu près parvenu, Daniel murmurait purée d'une voix incrédule, enfantine et un panneau lumineux indiquait la porte de Bercy. Nous avions croisé d'autres panneaux, mais j'étais trop petit, trop fragile, réfugié aux tréfonds de moi-même, pour comprendre ce qu'ils voulaient dire, pour reconnaître en eux des panneaux. On avait dépassé la porte de Vincennes quand Pomme a parlé. Il avait gardé cette crispation de la bouche mais il parlait. Il a refait sa question et Alain, après un long silence, la même réponse : non. J'ai dit, alors, que c'était un boulevard spécial qui n'était ni le boulevard Romain-Rolland ni les boulevards Brune, Jourdan et compagnie réunis. Puis j'ai demandé subitement à Alain de quand il était, datait, son plan. Il l'a tourné, retourné. A la fin, il a dit 1948.

Pomme a recommencé à manœuvrer. Nous avons quitté notre rangée, la seconde, pour la troisième et, juste avant la porte de Bagnolet, il a profité d'un ralentissement pour gagner la quatrième, la dernière, tout contre la barrière métallique qui nous séparait des voies adverses, où le flot de lumière comportait des déchirures, des vides. Nous avons été arrêtés longtemps à la porte de Bagnolet. Les milliers de phares qui nous talonnaient semblaient les yeux déments de bêtes, de chevaux carnassiers ou d'amphibiens véloces, dont rien, ni force ni raison, n'aurait pu arrêter le manège. Nous avions deviné que nous tournions autour de Paris mais non que nous n'y entrerions jamais si nous persistions à vouloir le faire par le côté gauche où la ville se tenait, invisible, inaccessible derrière ses fossés et ses parapets. Nous avons continué le long de la glissière, attendant qu'elle s'interrompe pour rejoindre un des morceaux de boulevard que Alain repérait sur son plan, au fur et à mesure — Sérurier, Macdonald, Ney. C'est à la porte de la Chapelle que nous avons fini par comprendre que le cercle de fer dont Paris s'entourait ne comportait nulle part l'interstice de deux mètres, seulement deux mètres, qui nous aurait suffi. Et que le seul moyen de le franchir, de nous rapprocher pour retrouver le plan et cet endroit de la porte de Versailles vers lequel nous roulions depuis l'aurore, c'était de nous éloigner, de dégager à droite vers les limbes inconnus de la banlieue.

Pomme a passé la seconde après être resté longtemps en première. Les bêtes folles, derrière — mais nous aussi, nous en étions —, précipitaient leur ruée. Nous nous sommes mis à parler vite, tous les quatre, comme avant, quand nous étions dans l'arbre, qu'on ne savait pas très bien si c'étaient des jeux de lumière, des feuilles ou des poissons et qu'il importait de prendre un parti parce que le temps passait, déferlait, et qu'il serait prématurément midi. Daniel était d'avis que nous tentions une sortie par la droite. Moi aussi. Pomme était trop absorbé par la tâche de surveiller le Parisien qui nous précédait, les phares tout proches, derrière, dont le reflet, dans le rétroviseur, lui éclairait le haut de la figure, et le taxi avec lequel nous roulions flanc contre flanc, pour se faire une idée. Il a dit qu'il allait essayer. Il commençait à regarder de mon côté, les lèvres retroussées, l'œil dur, quand Alain, derrière a dit non, attends, non. Il était penché sur son plan, dans la lumière insuffisante du plafonnier. Il a dit que ce n'était pas la peine, qu'on était plus près, maintenant, dans ce sens-là qu'en faisant demi-tour.

On s'est quand même rapproché, en prévision du moment où il faudrait quitter l'anneau de fureur et de feu qui nous avait happés au sortir de la 20. Pomme a réussi à se loger derrière le taxi, sur la troisième file. Alain a dit que nous couperions l'avenue de la Grande-Armée et que nous verrions l'Arc de triomphe, pas loin. On a passé la porte de Clichy. Le taxi, devant, s'est dégagé. Un panneau annonçait la porte d'Asnières quand Pomme a dit qu'il ne manquait plus que ça. Il a désigné, du doigt, un voyant rouge à côté du compteur. Il a dit qu'il fallait trouver une pompe. Daniel n'avait rien vu, moi non plus. Alain regardait le plan. Mais je me souvenais d'une station, sur la 20, un peu avant que nous ne tournions, avec les grands disques rouges qu'on voyait partout, depuis le printemps. Il allait être dix heures. Tout serait fini depuis longtemps, à la porte de Versailles, si nous y arrivions jamais. Mais en vérité, je n'y pensais plus. J'avais depuis longtemps abandonné l'espoir que nous y parvenions, et avant l'espoir l'envie, l'idée. Pas seulement parce que nous venions de trop loin, par des routes inconnues, encombrées, avec une voiture qui ne nous appartenait pas, que le patron de Pomme devait retrouver le lendemain matin dans son box, brillante comme un miroir, sans une éraflure, un grain de poussière ni un kilomètre de plus ou de moins au compteur. Pas seulement parce que je ne supportais plus d'être enfermé dans cette

176

boîte en fer qui sentait la peinture fraîche et le plastique neuf ni le bruit du moteur ni aucun bruit. Si je n'avais plus envie de voir ce type, ce Noir, de l'entendre, c'est que je l'avais déjà entendu et que ce serait une autre fois. Que ce serait différent puisque nous étions différents de ceux qui poussaient la Traction (ce qui allait redevenir une Traction après avoir été un tas de ferraille et qui était redevenu un tas de ferraille) sur la route des collines, dans le soir de juin. Puisque tout finissait, serait fini demain et que je le savais.

Alain a dit que c'était là, que l'arc de Triomphe était tout près, à gauche. Mais on roulait en quatrième au fond d'une tranchée et on n'a vu que la paroi de béton et le tablier du pont, le dessous des avenues de Paris. Ensuite, j'ai distingué des arbres, des masses vertes, phosphorescentes, avant que la tranchée ne se referme complètement sur nous, ne devienne un tunnel où le fleuve du feu s'engouffrait avec un bruit de fleuve et Pomme a dit tout haut ce que je pensais, redoutais : que si la voiture s'arrêtait, nous lâchait là-dessous, nous n'en sortirions plus jamais. Cernés par les replis maléfiques, couleur de fer de l'Achéron et du Pyriphlégéton, nous subirions avec les Cimmériens l'éternel châtiment (ça, c'est moi qui le pensais) des forfaits que nous avions commis sur la terre, à cinq cents kilomètres de là. Puis nous avons retrouvé le ciel noir, sur nos têtes, et un peu plus loin une quantité affolante de panneaux bleus lumineux, de noms blancs — Rouen, Chartres — entre l'arcature de lumière et la nuit sans astres. Alain a dit de serrer à gauche, ce que Pomme a fait. Je voyais son visage durci, vieilli, ses yeux mobiles dans l'étroit reflet clair du rétroviseur. Ce n'était plus la même cohue, la compacte ruée de chevaux des abysses aux yeux de feu. Pomme a déboîté pour passer sur la deuxième file. Nous avons dépassé la porte de Sèvres, la porte de Versailles sans qu'aucun de nous ne parle. A la porte de Châtillon, nous avons glissé sur la première file et Pomme est descendu en seconde. Nous avons vu le panneau approcher — porte d'Orléans —, l'amorce de la rampe. Jusqu'à ce que nous la touchions, que l'anneau sans nom, le cercle de fer ne s'enfoncent à notre gauche, j'ai douté que ce soit bien l'issue, la fin. Que nous puissions sortir sans que quelqu'un, Perséphone ou Rhadamanthe, ne se dresse au milieu de la rampe, dans la rouge clarté d'orage, le bras levé.

Pomme a dit qu'il fallait vraiment retrouver cette pompe. Qu'il fallait aussi vraiment que la station soit ouverte. Elle l'était. Le type qui est sorti de la cabine vitrée pour nous servir avait une tête de pompiste et quand Pomme a coupé le contact, c'était comme si je venais subitement de cesser d'avoir mal. On s'est cotisé avec Alain et Pomme pour régler le plein. Avec ce qui restait, on a pu encore se procurer deux paquets de gâteaux secs et deux petites bouteilles de boisson gazeuse au citron. Pomme avait les traits creusés, comme s'il avait, lui aussi, souffert longtemps sans espoir de rémission ou que des mois, des années, se fussent écoulés depuis le matin, alors qu'il n'était que onze heures moins le quart à l'horloge électrique de la station. Il a dit qu'on avait le temps et qu'on pouvait souffler un peu. Il a avancé de quelques mètres pour s'arrêter le long du trottoir, sous de grands immeubles sombres aux volets clos. Maintenant, les voitures, les caravanes n'arrivaient plus que par grappes espacées tandis que des formations de camions à semi-remorques descendaient vers le sud, passant à nous toucher avec un grondement énorme qui faisait trembler la DS. Dans l'intervalle, quelque chose d'indécis, de farouche flottait, descendait et c'était le silence. Pomme a encore trouvé la force de nous dire de faire attention à ne pas mettre des miettes partout. Que ça lui donnerait moins de peine, demain, pour nettoyer. Mais il aurait pu s'épargner la peine de nous le dire. Les gâteaux étaient tellement mous qu'ils pliaient sans se rompre, sans qu'il s'en détache la moindre parcelle comme si on avait mangé du mastic qui aurait gardé un arrière-goût de mastic. Alors que la boisson avait celui des lessives désinfectantes (celui qu'elles doivent avoir, vu, si l'on peut ainsi parler, leur relent âcre, décapant, de citron), comme si nous avions entrepris de consommer le contenu d'un placard de produits d'entretien. A moins que ce qu'on mangeait à Paris, à ses portes, ait un goût différent. Ou bien que ça ait exactement le même goût que ce qu'on avalait cinq cents kilomètres plus bas sous le nom de gâteaux secs et de boisson gazeuse au citron et que ce soit nous qui ayons subi avec l'éloignement, l'angoisse et la fatigue, l'inconnu, le temps une altération si profonde qu'ils prenaient dans notre bouche le goût du mastic et d'un désinfectant liquide.

Même après avoir fait descendre le tout en alternant les biscuits et la lessive, on n'a pas bougé, parlé. Je m'étais légèrement enfoncé dans mon siège. J'étais tout près du sommeil, sur la frontière où le grondement des camions, la lourde gifle de l'air déplacé continuaient de me parvenir avec la même puissance, la même violence. Mais ils étaient un peu moins ce qu'ils étaient, un grondement, une secousse, pour devenir le vent, le désert, des troupeaux. Même la souffrance n'était plus une souffrance ou alors une souffrance extérieure qui bourdonnait hors de mon corps et dont j'aurais pu, si je l'avais souhaité vraiment, si elle n'avait pas été urgente, nécessaire, m'éloigner. Elle est restée une gêne, une souffrance diffuse, égale, même après qu'elle fut devenue autre chose, c'est-à-dire ce qu'elle était vraiment, le ronronnement régulier du moteur, en moi et hors de moi. J'ai tourné la tête, vu le grand disque rouge coulisser à la fenêtre, Pomme au volant et d'un seul coup tout le reste, Perséphone, ou du moins le souvenir de son imminente apparition, le bras levé, la ruée aveugle des bêtes nyctalopes qui continuaient sans doute à tourner autour de Paris et, devant nous, la 20, déserte, entre les hautes maisons endormies. La voix de Pomme a dit avec lenteur que ce serait juste mais qu'on y serait. Pour la dix millième fois, il a passé la seconde et la troisième pour s'établir en quatrième et nous nous sommes enfoncés dans la nuit.

Quand même les entrepôts et les aires de stockage ont disparu et que nous sommes entrés dans ce qui devait être la Beauce, les glacis écrasants de Paris, j'ai recommencé à imaginer, à deviner autre chose que ce qu'il y avait ou du moins que ce qu'il n'y avait pas puisqu'il n'y avait plus rien que tout ce noir, sans une lampe ni même une étoile. J'avais perdu la notion du mouvement. Nous étions immobiles dans notre bourdonnement tandis qu'un tapis roulant avec une bande de peinture grise figurant la route et, de loin en loin, l'ombre étroite, sommaire, représentant un arbre, tournait sous nous à cent à l'heure. Comme à la fête foraine, des années auparavant, où nous nous rendions. A la fin, nous connaissions par cœur les cinq ou six virages et le petit pont peints sur la toile éraillée qui glissait sous la petite voiture de sport argentée. Nous la faisions évoluer latéralement par l'entremise d'un vrai volant sans jamais plus traverser la mare, la tranchée de chemin de fer ou les meules de paille elles aussi éraillées, usées jusqu'à la trame, qu'on avait

peintes en trompe-l'œil, comme la route, sur la toile caout-
choutée. A ce moment, Pomme a dit que c'était comme à la
fête foraine, avant. J'ai dit oui. Oui. Je me suis retourné pour
parler mais Alain dormait, le nez sur la poitrine, et Daniel la
tête à la renverse. J'ai fait face à la nuit sans fond, à la bande
grise qui ondoyait doucement sous les roues. Il m'a semblé
que nous aurions dû traverser Orléans depuis longtemps. Je
me représentais les pyramides de ballast, les amoncellements
de pneus usés qui annonceraient son approche et puis,
graduellement, les pneus changeaient de forme, de couleur,
devenaient tout autre chose que des pneus, n'importe quoi,
des oiseaux, des fêtes, et je comprenais que j'étais encore en
train de m'endormir juste avant que l'idée du sommeil ne se
métamorphose, devienne une idée différente et que je sois
endormi. Il me fallait, dans un sursaut, la chasser avec le
cortège grouillant de ses métamorphoses et regarder, ne rien
faire que regarder le noir et l'oscillation étroite de la route
pareille à un cylindre grossièrement badigeonné de gris.
Quand Orléans a surgi avec ses tas de pneus, ses silos de
ciment, c'était vraiment Orléans parce que ça le restait, qu'il
y avait, après les silos, des entrepôts, des arbres normaux,
des maisons basses, des rues trop longues, trop rectilignes
pour avoir été peintes sur un rouleau.

C'est après, dans les ténèbres revenues qui auraient été, le
jour, la Sologne, que les camions nous ont gênés. Pomme
s'est rapproché à la toucher de l'arrière d'une semi-remor-
que. Nos phares détaillaient les énormes entretoises du
châssis, l'essieu encroûté de boue. Le fracas de l'engin
couvrait le bruit du moteur. Pomme a déboîté. Nous avons
longé les roues jumelées de la remorque avec leur couronne
de boulons, les roulettes en fer, devant. Nous étions à

hauteur des roues arrière du tracteur quand elles ont paru s'immobiliser. Nous sommes restés longtemps — ou ce qui m'a paru tel dans la durée noire, différente, des nuits —, roue contre roue, sous le fracas du camion. Puis il a regagné insensiblement du terrain. Les roulettes en fer ont remplacé les roues du tracteur et ensuite les roues jumelées de la remorque les roulettes en fer. Nous sommes revenus dans le remous de la remorque, comme des poissons fatigués. Il ne venait rien en face. J'ai regardé Pomme, son visage mangé d'ombre. Il serrait les mâchoires et fronçait les sourcils. Il a dit d'une voix frêle qu'il ne pouvait pas. Qu'il n'y arrivait plus mais que ça allait revenir. Nous sommes restés dans le sillage de la remorque. Elle devenait par instants une sorte de grande porte de tôle qu'une furieuse main agitait, pour entrer. Les roues jumelées sont revenues tourner tout contre moi, comme mues par un puissant rouleau, suivies des roulettes en fer et enfin du tracteur tout entier. Nous étions de nouveau dans le noir, sur le ruban gris. Pomme m'a dit qu'il avait peur, maintenant. Que ses mains et ses bras ne faisaient pas ce qu'il voulait ou bien qu'ils le faisaient mal, plus ou moins longtemps après qu'il avait voulu et parfois au moment où il ne voulait plus. Pour les autres, ça a été pareil. Nous nous attardions dans le remous des plates-formes ou des remorques, dans le vacarme des tôles entrechoquées, le cliquetis des chaînes et les claquements des bâches, le temps que Pomme se persuade à lui-même que ce n'était qu'un camion, un obstacle mobile qu'il fallait vaincre, déborder car — cette pensée minuscule, oubliée, revivait soudain — nous devions être rentrés demain. C'est-à-dire aujourd'hui, tout à l'heure. Parfois, Pomme franchissait d'un seul élan le grand bruit composite, la vision de pont arrière, de poutrelles et de roues jumelées mais le plus souvent il s'arrêtait à mi-hauteur et se laissait dériver avant de tenter encore le dépassement. Il s'y est repris à trois fois pour venir à bout d'un immense camion allemand et il n'a pu déborder le second — le même, anguleux, blanc, descendu avec le premier de Lübeck — que parce que la côte, à l'entrée de Vierzon, a obligé l'Allemand à ralentir au point qu'un homme à pied l'aurait dépassé.

On a suivi longtemps un Français. Pomme a ébauché un déboîtement puis il s'est laissé couler en arrière, à une cinquantaine de mètres des feux rouges bringuebalant dans la nuit. Heureusement, l'autre devait rentrer à vide dans le Tarn-et-Garonne (c'était écrit dessus) et il allait assez vite, même dans les côtes. Je bataillais contre les images qui se dessinaient sans discontinuer sur l'écran noir de la nuit. Le bourdonnement avait fini par quitter ma poitrine pour essaimer partout, jusqu'au bout des doigts. J'aurais voulu qu'il recule, reprendre seulement une partie de moi-même, rien que l'extrémité de mes mains. Je m'y serais réfugié tout entier, abandonnant le reste au moteur. Mais pendant que j'étais à lui disputer un ongle, un cheveu, la nuit féconde se remettait à engendrer des cercles, des divinités infernales aux visages cuivrés que je considérais avec une sorte de gratitude. L'idée qu'il n'y avait que la nuit vivait pacifiquement près d'elles : c'était un pilier de marbre sombre, une allée de cendres ou seulement un diadème de jais dans leurs cheve-lures.

Je n'avais jamais cessé de me la représenter sous une forme ou sous une autre lorsque j'ai entendu Pomme. Je l'avais entendu et aussi, alternant avec lui, Alain et peut-être Daniel. Il me secouait l'épaule. Sa voix était si faible que d'abord je n'ai pas compris. Je ne comprenais pas non plus pourquoi il me secouait l'épaule, ni que la nuit ne fût pas un diadème. Sa voix résonnait à mon oreille dans le bourdonnement comme s'il m'avait parlé de l'autre bord d'une rivière, du fond d'une vallée. Je murmurais que je voyais la nuit et lui me répétait de me réveiller, de lui parler. A la fin, j'ai vu la nuit pour ce qu'elle était et je comprenais les paroles de Pomme. Il voulait que je me réveille, que je lui parle sans quoi il s'endormirait. Nous avions passé Limoges. J'ai dit, effaré : Limoges. Et lui : parle-moi. J'essayais de réfléchir. Alors, je lui ai demandé s'il serait capable de retrouver l'endroit où nous avions dû nous arrêter, le matin, enfin la veille, pour nettoyer le pare-brise, s'il accepterait un jour de m'y conduire encore. La réponse est venue tout de suite : oui. J'ai dit que c'était extrêmement important. J'y aurais volontiers songé. Je n'aurais pas dormi, juste fermé les yeux. Mais il voulait que je parle alors que je ne pensais à rien, qu'il n'y avait rien. J'ai dit que j'allais parler du grand barbeau, que j'allais lui raconter comment je l'avais découvert, le jour de l'audition. Je l'ai fait. Du moins, je parlais. Car mes paroles étaient devenues comme les bras et les jambes de Pomme. Si elles m'obéissaient encore, c'était nonchalamment, avec de longs retards. Par exemple, je m'entendais parler de fauteuils en peluche rouge alors que je prétendais entretenir Pomme de cheval. Je m'en rendais très bien compte. J'ai dit (ma voix) que ce n'était pas un cheval. Mais qu'avec les touches jaunies, la peur où je baignais depuis que j'avais ouvert les yeux (le dernier dimanche de juin), c'était un cheval. Mes paroles ondoyaient mollement et il fallait du temps avant qu'une impulsion que je leur avais imprimée se manifeste, là-bas, où elles devenaient audibles. Dans l'intervalle, elles continuaient à représenter un cheval. Je me suis tu pour que le cheval disparaisse et que ce soit ce dont je parlais qu'on entende. Pomme a dit de sa voix faible, pressante : continue. J'ai dit : un piano, tu comprends. Il a approuvé, dans un souffle, mais il aurait donné son assentiment à une clarinette, à un violoncelle alors qu'ils ne présentaient aucun caractère de ressemblance avec un cheval.

Nous sommes descendus dans une abrupte vallée au fond de laquelle un village dormait. Pomme avait passé en première. Il l'a dit. Il sentait ses bras si lourds, si indociles, qu'il n'aurait jamais réussi à suivre le tracé de la route, en seconde, et que nous aurions à coup sûr traversé des meules de paille, des tranchées de chemin de fer. Des vraies. J'avais oublié ce dont je l'entretenais avant qu'il ne rétrograde pour ne pas nous mettre dans une meule ou une mare. J'ai dit, en désespoir de cause, qu'on sortait du village, que ça tournait moins. Que tout à l'heure, j'allais partir pour deux mois, jusqu'à la Toussaint et que je repartirais pour des mois, des années. Qu'on ne pêcherait plus ensemble. Qu'on serait différent. Qu'on l'était déjà. Il a hoché la tête. Il n'y avait plus de camions, plus personne. Nous étions seuls de notre espèce, les yeux ouverts, à tâcher désespérément de voir ce qu'il y avait réellement, c'est-à-dire rien du tout, à tenter de manœuvrer non moins désespérément, Pomme, ses bras et ses jambes, moi, les lentes, les confuses paroles qui le retenaient à la réalité, à rien du tout. Nous avons couvert ainsi les derniers kilomètres, lui mordant la banquette de la route, changeant de vitesse, braquant et contrebraquant avec la raideur lente, décomposée d'un automate en bout de course, moi ouvrant et fermant la bouche à la façon des poissons, en silence, sans doute, prêts à tout, tous les deux, en échange d'un instant de répit, d'une seconde d'oubli.

C'est pourquoi nous n'avons rien su. Tout était à peu près fini, accompli quand nous avons commencé à soupçonner que quelque chose se passait peut-être aux frontières de l'oubli où nous étions tombés. C'est aussi ce qui explique, outre la commotion, que nous ayons eu tant de peine à concevoir que tout ait pu à ce point changer quand à peine une seconde s'était écoulée. J'ai reçu un grand coup sur la tête, comme si le bras qu'Eaque ou Minos tenait depuis longtemps levé s'abattait sur moi. L'autre coup, celui qui m'avait arraché le bras droit, je ne l'ai pas senti. J'ai supposé, ensuite, qu'il avait bien fallu qu'il m'atteigne puisqu'un minuscule fourmillement avait remplacé cette extrémité. Ce que je voulais, c'était me soustraire à la pesante main (elle avait exactement mon poids) qui m'écrasait la tête et je me tortillais comme un poisson dans l'herbe pour lui échapper. J'ai réussi. J'étais dans l'herbe noire à odeur d'herbe, sous la nuit chargée d'étoiles. Il n'y avait plus de moteur, plus de rouleau gris dans la lumière des phares, plus de phares. Un gémissement sourd est sorti de la voiture et j'ai compris que j'étais dehors, dans l'herbe. La position de la DS, les roues en l'air, n'était pas encore pour m'étonner ni l'absence de portières. J'ai arrêté de me tortiller, couché sur mon bras droit, qui existait, n'était pas arraché mais n'enregistrait rien de ce qu'il rencontrait, l'herbe noire, la terre froide, le verre pilé partout.

C'est lorsque la demi-tête de Pomme a surgi de l'autre côté du châssis, dans la nuit, que j'ai commencé à suspecter certains détails de n'être pas plausibles. Ainsi, l'herbe ne pousse pas dans les voitures. J'ai considéré le fait jusqu'à ce qu'il me revienne que je n'étais plus assis dans la voiture et que je le savais depuis quelque temps. Ma voix murmurait :

Pomme, Pomme. La demi-tête à laquelle je m'adressais a contourné le châssis, les roues arrêtées. Quand elle s'est penchée sur moi, j'ai bien vu, malgré l'obscurité, qu'elle était entière mais pie : à gauche d'un noir humide, à droite claire, comme avant. Pomme a demandé doucement si je l'entendais. Je disais : et toi, et toi. J'ai effleuré sa moitié gauche qui était mouillée, gluante. Il a dit que ça allait, que c'était le verre et que ça allait. La tête d'Alain, intacte, a surgi à côté de celle de Pomme. Il a dit qu'on aurait pu se tuer. Mais il a répondu qu'il n'avait rien. On entendait Daniel gémir.

Je ne dormais pas. Les détails insolites devenaient réels sans cesser d'être insolites, excepté mon bras que je voyais alors qu'il avait été remplacé par un minuscule fourmillement, pas plus long qu'une brindille. Je marchais. On a contourné le coffre béant. Daniel était recroquevillé sur le toit. J'ai dit que c'était nous, Pomme et moi. Je ne voyais presque rien. Je lui disais de nous parler d'indiquer l'endroit où il avait mal. Il a dit putain, très bas. On a continué jusqu'à ce que je dise que nous allions le tirer de là. Il a dit que c'était sa tête. Et, un peu plus tard, sa jambe. Sa main est apparue dans l'obscurité moins dense qu'il faisait, hors de la DS. On l'a prise, avec Pomme. Celle d'Alain s'est ajoutée aux nôtres. Daniel devait pousser, de l'autre. J'avais peur de voir son visage lorsqu'il deviendrait visible et puis je l'ai vu et il n'avait pas changé. Le reste a suivi avec d'infinies lenteurs. A la fin, Daniel était allongé dans l'herbe et nous l'entourions. Je ne dormais pas quoique tout fût revêtu de l'étrangeté qu'on trouve aux songes lorsqu'on vient de se réveiller.

Il a dû s'écouler du temps. Nous ne parlions pas. Il faisait moins noir. Daniel s'était mis sur son séant. Il tenait le côté droit de sa figure avec sa main gauche et palpait son genou

droit avec sa main droite. Il a dit : mince, puis : mon F.-M.
J'ai dit : quoi ? Et lui : le F.-M. Je me suis penché à
l'intérieur de la carcasse renversée. J'ai trouvé le casque, sur
le toit, vers l'avant, mais pas son truc. Je l'ai dit. Il a répété
qu'il voulait son F.-M., qu'il fallait. J'ai fouillé vers le haut,
vers le plancher, entre les sièges. J'ai senti le métal froid,
graisseux. J'ai tiré mais, avec mon bras gauche, je n'y arrivais
pas. Je l'ai dit, excédé. Alain a pris ma place. Il a réussi à
extraire l'arme qu'il a posée près de Daniel, dans l'herbe.
C'est peut-être là que j'ai commencé à me rendre vraiment
compte que nous étions vivants ou plutôt qu'il aurait tout
aussi bien pu se faire que nous ne le soyons plus autant, plus
du tout. Le canon, avec les pattes, au bout, était complètement replié sur lui-même, ainsi qu'une négligente main
l'aurait fait d'un tuyau de plomb. Nous l'avons contemplé en
silence. Le ciel était violet. Il y avait moins d'étoiles. J'ai
demandé l'heure à Alain. Il a dit cinq heures moins dix. J'ai
réfléchi en regardant les étoiles et j'ai déclaré que non. Il a dit
si. Puis, après un silence, que sa montre était cassée. Il ne
devait pas être loin de six heures parce qu'on était le
2 septembre et que la nuit allait finir.

Pomme s'est accroupi. Il a passé son épaule sous l'épaule
de Daniel. Puis il a paru se raviser. Il est entré dans la DS.
Nous l'avons entendu ouvrir la boîte à gants et cogner dans la
pénombre contre le tableau de bord. Il y a encore eu un bruit
de plastique brisé, un imperceptible cliquetis. Pomme est
sorti à reculons. Il a jeté ce qui devait être un tournevis dans
les broussailles et il est revenu épauler Daniel. Ils se sont
redressés ensemble, doucement, Daniel avec une grimace
abominable. Pomme sans que son visage change, brun-
rouge, tout craquelé, du menton à la racine des cheveux, à

droite, de l'autre côté, blême. On voyait. On était (les trois autres et mon bras droit vers lequel je n'arrêtais pas de tourner mes regards) comme les photos en camaïeu des vieux livres que je consultais à la bibliothèque. On a gravi lentement le talus, retrouvé les portières dans un fouillis de genêts, de bourdaines et de bouleaux nains qu'on a traversé. On a pris pied sur la route. Il y avait une grande feuille de tôle noire au milieu de la chaussée. Je l'ai traînée sur la banquette. J'ai songé, plus tard, que c'était le capot. Je ne dormais pas, mais les maléfices des rêves avaient passé la frontière et escortaient notre progression douloureuse. Nous étions de toute urgence requis plus loin. Nous étions parvenus tout près. Mais chaque pas s'accomplissait dans une invincible lenteur. Nous n'atteindrions jamais à l'heure dite le lieu convenu. Nous le savions et pourtant nous marchions dans la campagne décolorée, familière, qui se dessinait autour de nous. Daniel et Pomme soulevaient leurs jambes devant moi, comme des bielles plongeant au ralenti dans un bain d'huile, leurs bras croisés enserrant mutuellement leurs épaules. Alain venait derrière.

Nous ne parlions pas. Nous soulevions avec prudence nos jambes, émus, incrédules, un peu, d'avoir des jambes et d'en obtenir le service qu'elles sont faites pour nous rendre. Je touchais furtivement mon bras droit avec ma main gauche. Il commençait à changer, à battre comme un cœur. Je promenais aussi ma langue dans ma bouche. Je m'attendais encore à surprendre inopinément un vide, un gâchis sanglant là où il y avait depuis toujours des rangées de dents, des os d'un seul tenant, des masses sensibles de chair. Nous ne troublions même pas le silence de l'aube sans oiseaux. Les arbres restaient noirs mais l'herbe du bas-côté prenait le vert de l'herbe. Nous avancions à peine et pourtant la route a fini par cesser de monter. Les silhouettes siamoises de Daniel et de Pomme se sont découpées sur le ciel pâle puis elles ont commencé à s'enfoncer. La ville émergeait à peine de la grande flaque d'ombre, à nos pieds. On distinguait nettement les clochers, le toit du lycée, les rondes cimes des platanes, l'écharpe claire de vapeur sur la rivière. Il n'y avait plus que la côte à descendre.

On a croisé en tout et pour tout une bétaillère ahanant dans la pente, avec son cortège de meuglements. Quand ils sont arrivés à la première maison, bise sous son bonnet d'ardoises, Pomme et Daniel se sont arrêtés. Je les ai rejoints du même pas ralenti. Le ciel virait au rose. Le sang séché faisait à Pomme un masque sauvage (j'étais à sa droite), indéchiffrable. Daniel, appuyé, accroché à lui m'a jeté un regard borgne. Sa pommette gauche avait changé tandis que nous marchions : violette, pigmentée de rouge avec un cerne ocre, tuméfié, qui lui fermait l'œil. Alain nous a rejoints. Nous sommes restés muets dans la lumière neuve. Alain a ouvert la bouche mais il n'a pas parlé. Chaque pas, si lent fût-il, nous rapprochait de l'instant inéluctable où il faudrait que nous nous séparions, que nous parlions, chacun de notre côté. Nous nous sommes remis en marche, le long de l'avenue de Paris, vers le pont. C'était le jour et l'avenue de Paris, sans le flottement insolite, les inadvertances du rêve qui avaient commencé à l'instant où nous étions éveillés la tête en bas dans la DS détruite. Une voiture a traversé le pont mais elle a pris tout de suite à droite, le long de la rivière. Une autre est venue à notre rencontre. J'ai vu le visage de la femme mais elle a continué sa route. Il y avait cette lenteur, la fatigue et la faiblesse, sans doute, mais sans doute aussi le temps qui marchait avec nous et qui tarderait un peu si nous retenions notre pas, comme les promeneurs des songes. Au pont, l'eau avait des blancheurs de lait sous la couche d'air blanc. J'aurais voulu presser le pas, courir pour rejoindre Daniel et Pomme, pour leur dire, et je ne pouvais pas. Mon bras, maintenant, pesait un poids énorme, comme un lingot de fonte parcouru de moires brûlantes, rouges, qu'on m'aurait soudé au tronc. J'avais la bouche ouverte, traînant, tirant mon bras. Mais ce n'était pas la peine. Ils avaient pris ensemble la petite rue riveraine qui s'ouvrait après le parapet et je me suis remis à ne pas vouloir aller plus vite, crier dans la paix surhumaine du matin.

Un bruit de moteur s'éveillait sur l'avenue de Paris mais nous marchions. Nous nous enfoncions dans le silence, le long des maisons basses endormies dans leurs jardins, pareils à des corbeilles de fleurs et de fruits.

Avant que nous ne sortions du roncier, les uns derrière les autres, j'imaginais alternativement l'aulne debout, ainsi qu'il était avant que la crue de l'hiver ne l'abatte, et le vide que je n'avais pas vu et qui devait occuper son emplacement. Nous sommes sortis du fourré dans l'odeur douce-amère du limon, du miel et du poisson. Ce n'était ni l'arbre ni le vide, devant nous, mais les deux à la fois. L'aulne était couché dans l'eau claire du premier matin, blanchi, dépouillé de ses feuilles et de ses branches, à l'exception d'un petit toupet frémissant au bout, dans le courant. Nous l'avons regardé. La rivière prenait au ciel le bleu profond qu'il garderait jusqu'au soir. La journée serait splendide après les journées atones, automnales, que nous avions eues. Dans le trou béant de la berge, une seule racine, vivante, pareille à une corde rousse, reliait l'arbre à la terre. J'ai ramassé un bloc de quartz blanc. Je me suis accroupi pour taper sur la racine mais ça allait mal. Le caillou rebondissait. On a moins de force, moins de précision, aussi, dans la main gauche. J'ai cherché un galet. J'ai cogné sur le quartz, tant que j'ai pu, parce que chaque coup se répercutait, à travers mes épaules, jusqu'au lingot de fonte qui rougeoyait (me semblait-il) et le quartz a éclaté. J'ai récupéré le meilleur morceau, avec une arête longue et brillante. Comme la racine prenait trop bas, dans le talus, je me suis assis sur le sable et je me suis laissé glisser en me retenant avec mon bras valide et l'éclat de pierre, au bout. J'ai vu mon reflet brouillé, coupé à mi-cuisse. J'étais dans l'eau. Elle était tiède encore. Mais peut-être que les choses avaient cessé de nous affecter comme elles l'auraient fait si elles avaient été des choses ou alors j'avais (nous avions) changé en l'espace d'un jour et d'une nuit. J'ai frappé avec l'énergie du désespoir. La racine a cédé à la seconde où je lui administrais le dernier coup dont je fusse capable. Ses extrémités déchiquetées m'apparaissaient à travers des gazes sombres, des traînées d'étoiles. J'ai dû attendre qu'elles s'écartent, s'éteignent, pour lever la tête, pour appeler. En fait, il n'y avait pas besoin de lever la tête. Pomme était tout contre moi. Alain, en face, avait empoigné un tronçon de racine à deux mains. J'ai dit : attendez. J'ai laissé couler mon caillou. A la fin, les langues de feu qui me traversaient la poitrine ont pâli, reculé à l'intérieur de mon bras. Daniel, assis sur la rive, nous regardait de son œil ouvert. J'ai dit oui. Nous avons poussé de toutes nos forces sans qu'il se passe rien. C'est du moins ce qu'on a cru. On avait complètement relâché l'effort quand j'ai senti l'arbre s'émouvoir sous ma main, appareiller avec une grande douceur. Les autres aussi avaient senti. On a recommencé de pousser sans qu'il aille plus vite. Il oscillait doucement, cherchant son niveau de jauge dans l'eau plus profonde où ses branches immergées avaient cessé de l'ancrer, de le soutenir. Je voyais le reflet de mon buste sous des essaims de lucioles. Pomme n'était plus là. Quand j'ai vu normalement, sans les voiles, les étoiles, Daniel et Pomme se rapprochaient dans l'eau bleue, pailletée de soleil. Du sang ruisselait sur la moitié de la figure de Pomme mais c'était le vieux sang de la nuit. Le lingot, le bras en flammes que je traînais ne pesait, ne brûlait presque plus. Alain a aidé Pomme à hisser Daniel dans ses habits kaki ruisselants. Son œil gauche avait disparu mais je reconnaissais bien sa moitié droite qu'illuminait le reflet de la rivière. Alain est monté derrière le moignon de la première branche. Il m'a aidé en me prenant sous l'aisselle, à l'endroit où le feu commençait. Pomme, seul, a guidé notre équipage vers le centre de la rivière jusqu'à ce qu'il perde pied. Il a fait deux ou trois brasses dans l'eau bleue, merveilleuse, pour venir à notre hauteur. Nous l'avons aidé à se mettre à califourchon entre nous deux. L'aulne s'est enfoncé sous notre quadruple charge, effectuant avec lenteur un tour complet. Il a émergé, trouvé peu à peu son assiette de nage mais déjà nous glissions vers la mer, dans le matin.

Composition Bussière
et impression S.E.P.C.
à Saint-Amand (Cher), le 23 août 1988.
Dépôt légal : août 1988.
Numéro d'imprimeur : 4875-1252.
ISBN 2-07-071390-3./Imprimé en France.